天下雜誌

觀念領先

張曼娟成語學堂

我是光芒！

目錄

編者序

故事知多少

張曼娟

我在小學堂的課堂上，並不見得都是呼風喚雨，令孩子們心悅誠服的。有時候，他們也會不耐煩，也會忍不住的喧鬧，專注力對孩子來說，本就是個考驗。當他們愈來愈躁動的時候，我只好使出最後的殺手鐧：「我本來想講個故事給你們聽的，可是，我看大家好像也不想聽的樣子……」

瞬間，真的是不可思議的短暫時間，教室裡的氣氛大改變，每個孩子立即雙眼炯炯閃亮，閉上嘴，坐直身子，成為等待故事的狀態。偶爾有一、兩個還沒準備好的孩子，就會被同學嗆聲：「不要鬧了啦，老師要講故事啦。」「好的，我們今天來講個『指鹿為馬』的故事吧……」我清了清喉嚨，開始講故事，一面打量並感受著故事的巨大神奇力量。

它能令激動的孩子安定下來；它能令沉靜的孩子充滿熱情；它能令瞬間變為永恆；它能令粗糙的生命過程變得細微精緻。

而我們何其幸運，幾千年來，中華民族累積了無數的故事與啓示，真的是取之不盡，用之不竭。

讓古代人與現代人親密對話

自從成立了【張曼娟小學堂】之後，我開始思索，該用什麼方式把這些好故事傳承給我們的孩子。

二○○六年與天下雜誌童書出版合作，推出了【張曼娟奇幻學堂】系列共四本書，將名著中的老故事用嶄新的角度詮釋，獲得了許多迴響。讓孩子迷戀的奇幻人物，不只是哈利波特和神隱少女而已，他們也愛上了哪吒和花蕊兒；唐小山和唐大海。

二○○八年，我們再接再厲，用新編故事來介紹成語典故，讓古代人與現代人親密對話。既是好看的故事書，又有實用的價值。

我一直相信如果孩子確實了解每個典故的由來，甚至對於典故中的人物產生理解或同情或欽羨，他們就不會錯用成語，能更進一步體會這些四字成語，是多麼簡約又精緻。我與四位經驗豐富的優秀創作者合作，為孩子寫作

了四本書，針對不同年齡，規劃出孩子感到興趣的主題，策劃編撰完成了【張曼娟成語學堂】。

張維中繼《看我七十二變》之後，創作了《野蠻遊戲》，仍是以《西遊記》中唐三藏師徒四人為主角。當他們歷盡千辛萬苦，終於取經成功，要轉回大唐長安城時，卻離心離德，變得自私自利。於是，他們迷失在時空之中，劫難紛紛而至了。這不再是個人逞英雄的時候，必須要靠大家同心協力，才能一關一關往前闖。

高培耘則在《火裡來，水裡去》之後，創作了《尋獸記》。在這個奇幻故事中，三兄妹不約而同的許下一個願望，希望一直吵個不停的父母親「消失」，當願望成真，他們既後悔又恐懼，決定去滄海桑田尋找那隻傳說中的「願之獸」。而他們必須從古代的成語典故中先找到三樣寶貝，才能成功營救父母親回來。

得過兒童文學獎的黃羿瓅這次的作品《我是光芒！》，是以國小即將畢業的學生為寫生對象，寫出他們的小小憂煩與歡喜；似有若無的青梅竹馬；深刻濃厚的友情，也寫出校園中會出現的歧視或排擠，更寫出一群孩子為了

幫助別人，許下了一個大夢想，而後一步步讓夢想成真的過程。

孫梓評上次的創作是《花開了》，這次則是《爺爺泡的茶》，一個叫阿鐵的男孩，由茶山的爺爺一手帶大，度過歡樂的童年。而後，他長大了，必須告別茶山上的朋友和同學，告別親愛的爺爺隨父母回都市裡念國中。更艱難的是，在他離開茶山之後，爺爺突然過世，太多的轉變與太大的創傷，一齊降臨在這個青春期的孩子身上了。

在故事中流淚、昇華

這四本書，不僅是四個動人的故事，更與孩子的生活息息相關。他們與父母、兄弟姊妹之間的關係；他們在學校或團體中如何自處；他們怎麼去面對至親或是寵物的死亡？他們從轉變中能長成怎樣的人？他們怎麼看待不可避免的孤獨？又怎麼與他人合作創造奇蹟？讓他們讀故事，讓他們在故事中看見一個更軟弱或更堅強的自己，讓他們在故事中流淚或昇華，讓他們明白，自己也可以是一個感動人心的故事。

我們每個人都是故事的創造者，書寫了自己的明天。

孟浩然說：「夜來風雨聲，花落知多少。」

李後主說：「春花秋月何時了，往事知多少。」

而我要說，講一個好故事，便對世人有益；聽一個好故事，讓心靈充滿善意。「故事知多少」。

謹序於二〇〇八年立秋之後　台北城

書中人物介紹

主要人物

辛晴

光芒國小六年愛班班長，頭腦靈敏、個性沉穩，善彈鋼琴，與畢琪、舞菱為好友、手帕交。

畢琪

個性膽怯，但對朋友極好，能文不能武，是繪畫、小提琴高手，卻有運動心理障礙。

許一朗

個性開朗，反應快，很會打籃球，與奎發為死黨、換帖的，綽號「大槨頭」。喜歡辛晴。

吳舞菱

副班長，綽號「五五〇」，愛跳舞，怕髒、怕熱量。是男同學的夢中情人，喜歡辛皓。

張見博

廣讀群書，熱心助人。綽號「小博士」。喜歡辛晴。

陳大鳴

家境優渥，不愛參加班上活動的小貴族，個性沉穩，綽號「鳴公子」。喜歡舞菱。

李奎發

活潑好動、酷愛棒球，綽號「李維拉」。

其他角色

林似玲

自認美如天仙，覺得全班男生都愛她。綽號「〇四〇」、「南施」。喜歡大鳴和辛皓。

盧丙隆

個性率直、粗枝大葉，綽號「隆隆響」。常跟在鳴公子旁邊。

陳慶築

大鳴的堂哥，就讀光芒國小六年信班。

張又豪

信班另一成員，丙隆的鄰居，與陳慶築是一丘之貉。

辛皓

辛晴的堂哥，就讀豪傑國中一年級。彬彬有禮、文武全才。

敏宜

愛班同學。

老師群

黃老師

女，愛班導師兼教國語科，綽號「用用腦」老師。

張老師

女，教數學科，綽號「很簡單」老師。

梅老師

男，教體育，綽號「沒關係」老師。

高老師

女，教音樂科。

吳老師

女，教自然科。

莊老師

男，信班的老師。

張耘音女士

十能大獎創辦人。

眷屬群

辛爸爸、辛媽媽

辛晴的父母，常幫助由祖父隔代教養的一朗家。

辛雨

辛晴的妹妹，是個「追星族」。

爺爺

一朗的祖父，一朗父已逝、母再婚，與弟一飛由祖父撫養。

玩具

一朗的小狗。喜歡「透透」。

透視

辛晴的貓，小名「透透」。

阿威和阿福

陳慶築養的大狼狗。

超級好朋友

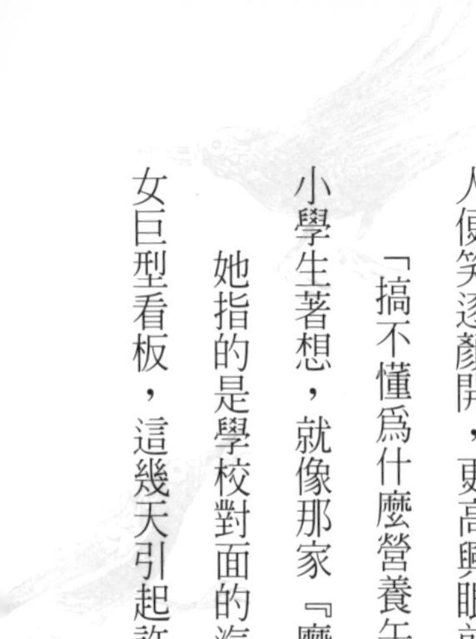

1. 莫逆之交

我們是契合又相投的「超級」好朋友。

當光芒國小六年愛班的班長辛晴聽到手帕交吳舞菱「哎呀！」叫了一聲後，就知道今天中午又得來一次「換換菜」了。

她看看畢琪，只見畢琪二話不說，立刻將舞菱餐盒裡的炸魚挾起來，用湯匙切成三等份，一人一塊，再挾了自己的炒青椒給舞菱。這炸魚的原持有人便笑逐顏開，更高興眼前的菜又多了來自辛晴的紅蘿蔔炒蛋。

「搞不懂爲什麼營養午餐每天都有油炸物！」舞菱嘀咕著。「這麼不爲小學生著想，就像那家『摩得路』一樣！」

她指的是學校對面的汽車旅館，入口處剛裝上只遮住重點部位的清涼美女巨型看板，這幾天引起許多批評聲浪，連媒體都來拍攝。她們三人中，辛

晴和畢琪都自備媽媽做的便當，只有舞菱訂學校的營養午餐。偏偏，有「舞蹈女王」稱號的她，愛美又怕胖，不敢碰太多油炸品，尤其今天下午就要拍攝畢業紀念冊的生活照了。

「明天如果再有，就得叫一朗幫忙吃了。」辛晴望著隔兩張桌子、嘴巴鼓鼓、腳下踩著籃球、正和死黨李奎發笑鬧的許一朗。「畢竟他比較不用顧忌身材走樣。」

「你們眞是『莫逆之交』！」一個聲音突然從上方迸出。

三人嚇了一跳，擡頭見級任導師黃老師正對著她們笑，只能脫口喊：

「啊呦哦！老師——」

「我聽到你們的祕密囉。」

「什麼祕密？『莫逆之交』又是什麼意思？」許一朗朗聲複誦著，不是很了解這個詞。

「既然叫祕密，當然不能說。而『莫逆之交』，就是最懂你、不會背棄你的朋友。」黃老師環顧全班聚過來的眼神，繼續說：「你們邊吃飯，老師來講個故事。大家都知道，老子、莊子是戰國時期道家思想的代表人物。莊

子的生命觀非常超脫，他說過一個故事。

有三個對『無』相當豁達、心意相通的至交好友。有一天，其中一個死了，還沒下葬。孔子知道後，便派弟子子貢去慰問，看需不需要幫忙料理喪事。不料子貢竟看見另外兩人彈著琴，唱著歌，歌頌死去的朋友回歸塵土、回歸眞『無』，並且哀歎活著的人還得背負肉身形骸的重擔！

子貢大爲吃驚，回去後馬上告了他們『對死者無禮』一狀。孔子想了想，卻大讚他們是超脫禮儀約束，置形骸於度外、逍遙於世外的高人，對於自己派人去幫助與弔唁的行爲，感到實在太欠缺思考、想得太過簡單了。由此可知，那三位眞是契合又相投的『超級』好朋友。」

原本目不轉睛聽著的小臉龐們，頓時都笑了。

「各位同學，換做是你，你會這麼替朋友想嗎？所以，眞正的好朋友是十分了解彼此、不會相違背的，這樣的友情，我們就稱做『莫逆之交』。像一朗和奎發哥倆好，非常『麻吉』（Match），如果現在一朗在操場，老師說籃球和便當只能選一種帶給他，你們認爲奎發會選什麼？」

「籃球——」大家異口同聲說。

「老師你錯了！」膚色黝黑的奎發站了起來，用驕傲的語氣說：「我一定會想辦法轉移你的注意力，然後把籃球和便當都帶給他！」

「Yes!」一朗立刻起身與好友擊掌，全班也哄堂大笑。

「呵呵！果然是『莫逆之交』！」老師笑道。「還有，以前有一個人每交到一位結拜好友，就把他的名字寫在竹簡上，然後焚香向祖先報告，那就叫『金蘭簿』，又稱金蘭帖。所以結拜又稱爲你們常說的『換帖』，也可以叫『金蘭之交』。」

「成語好好玩哦！」很喜歡讀課外書、外號「小博士」的張見博推推眼鏡，高聲說。

「對呀，沒有大家想的那麼難。以後有空，老師就穿插講一些成語故事給你們聽，可以加深印象。有的故事很長，但我們運用在文章或說話時，只要講四個字或幾個字的成語就好，簡潔有力。能運用在生活中是最棒的。」

「老師。」一向頑皮而粗魯的大個子盧丙隆問：「那《哈利波特》裡的馬份、克拉和高爾也是『莫逆之交』囉？」

「呃，他們互相勾結做壞事，比較像『狼狽爲奸』、『朋比爲奸』，要不

就是合作戲弄別人，像『狐群狗黨』那一種。好了，你們休息吧，老師要去辦公室了。」

「要去找你的『莫逆之交』吃飯嗎？」一朗大聲笑問。

「那是她的先生，叫『伉儷之交』！」奎發糾正好友。

「哪有這種成語！說『伉儷情深』就好了啦！」見博忍不住站了起來。

「『沒關係』——」全班意有所指的一起喊。老師看一票笑彎了腰的小孩，深深覺得，他們的人生一定會很精采。

莫逆之交

【解鈴還須繫鈴人】《莊子．大宗師》

子祀、子輿、子犁、子來四人相與語曰：「孰能以无爲首，以生爲脊，以死爲尻，孰知死生存亡之一體者，吾與之友矣。」四人相視而笑，莫逆於心，遂相與爲友。

【打開天窗說亮話】心意相投、不會背叛的朋友。用以表達「友情深厚」。

【聞一知十頗類似】管鮑之交、刎頸之交、金石之交、肝膽相照

【舉一反三相作對】泛泛之交、一面之交、酒肉朋友

2. 愛屋及烏

你會因為喜愛一個老爺爺，連帶也喜愛他的孫子嗎？

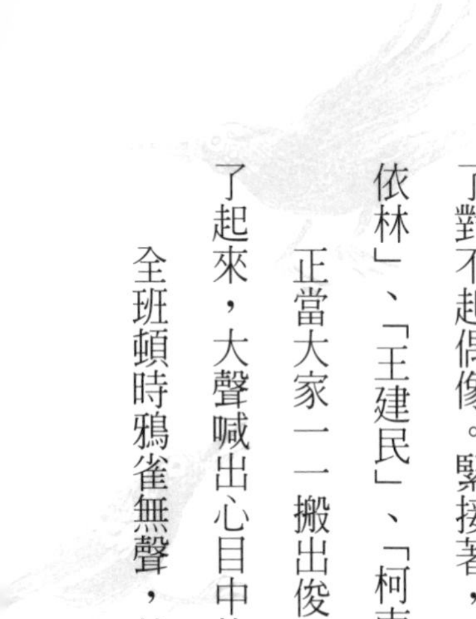

「我喜歡『功夫灌籃』的周杰倫！他實在太炫了！」「『航海王』的導航員娜美！她想畫出親自到過的世界地圖，眞酷！」「『櫻蘭高校』的須王環啦，又高又帥、有錢又有閒！」

這天，聽見老師詢問喜愛的偶像及原因，大家紛紛舉手發言，唯恐說晚了對不起偶像。緊接著，「棒棒堂和飛輪海」、「NBA狼王賈奈特」、「蔡依林」、「王建民」、「柯南和金田一」、「死神路克」……等，都陸續上場。

正當大家一一搬出俊男美女和某個領域的權威，一朗舉起手，同時也站了起來，大聲喊出心目中的英雄：「『花田少年史』的花田一路！」

全班頓時鴉雀無聲，然後是一陣哄笑。

黃老師微笑問：「爲什麼呢？」

「他叫『一路』，我叫『一朗』啊。而且，他的滿頭包和兩管鼻涕實在太讚了！」

再度引起哄堂大笑。黃老師說：「非常眞實而直接。一朗，你這叫『愛屋及烏』。」

「烏？哈哈！我一直唸做愛屋及『鳥』耶！」

「那你眞幸運，現在有機會知道正確的了，記得改過來哦。爲什麼說『愛屋及烏』呢？商朝末年，周武王在周公、姜太公等人襄助下，成功討伐、推翻了奢侈又殘暴的紂王。

但紂王死後，武王不知該如何處置商紂舊朝的官員。姜太公說：『我聽說，如果喜愛那個人，就連同他屋上的烏鴉也喜愛；如果不喜歡那個人，就連帶厭惡他家的牆壁籬笆。大王您就殺盡全部的敵對分子，一個也不留吧。』武王認爲不能這樣。召公則建議把有罪的人都殺死，無罪的就放過。武王認爲也不行。

這時周公上前說道：『我看應該讓每個人都回到自己家裡，耕種自己的

田地。大王您也不要偏愛自己舊時的朋友和親屬，要用仁政來感化全天下人。』武王聽了非常高興，心中豁然開朗，就照周公說的去辦，天下果然很快安定下來，西周也更強大了。這則成語故事，是仁政愛民得以安天下的例子。

『愛屋及烏』便是出自這裡，意思是由於愛某人而連帶愛護停留在他屋上的烏鴉，比喻非常喜愛某人，從而連帶愛及和他有關的人或物。」

「老師，我有一次看見嗚公子跳韻律舞，跳得不錯，那鐵定是因爲愛我了。」穿著公主裝、外號「南施」的林似玲突然說。

懶洋洋托著腮的陳大鳴頓時一震，忙說：「甘我什麼事啊？我哪有跳！」

全班大笑，丙隆脫口而出：「他喜歡的是比你多『十』或多『五百一十』的人！」

大家又是笑，明白丙隆說的是比「四○」（似玲）多「十」的「五○」：舞菱；或比「○四○」（林似玲）多「五百一十」的「五五○」：吳舞菱。

「討厭！」常自以爲是「林志玲」的林似玲在座位上頓足。「你們並不了解眞相。」

笑聲仍舊持續著，對班務及老師問話都少有反應的陳大鳴，不禁敲了敲丙隆：「多話！」

粗線條的一朗似乎恍然大悟：「老師！那辛晴很喜歡《史努比》裡狗屋上的那隻鳥，其實是喜歡狗屋囉？」

「是喜歡史努比啦，拜託！」才剛無端被捲入話題的舞菱，一副已經受不了的模樣。「『用用腦』！」

全班再度大笑，因爲「用用腦」正是黃老師的口頭禪和綽號。

這時，一朗的死黨奎發立刻站起來說：「我知道了，朗哥那麼愛逗小晴的貓玩，原來是爲了小晴。因爲朗哥喜歡她，所以連帶喜歡她的貓，這叫『愛人及貓』。」

在眾多「啊喲」聲中，一朗趕緊澄清：「沒有，是我家的狗，牠叫『玩具』，喜歡辛晴的貓『透透』，我很愛『玩具』，就連帶也喜歡『透透』。」

「反應挺快的嘛，一朗。好，大家安靜。」老師出面解圍了。「看來大家都懂什麼叫『愛屋及烏』了，很好。偶像講完了，也多學了一個成語，現在回到主題吧。」

同學們紛紛將視線拉回國語課本上。一朗偷看了辛晴一眼，才集中注意力聽課，但總覺得自己哪裡怪怪的。下課後，見辛晴竟朝他走來，不禁喜出望外。

「椰頭，我爸叫你星期天帶一飛和爺爺來我家吃火鍋。請爺爺讓雜貨店早一點打烊。」辛晴邊把馬尾紮緊，邊說。

一朗「哦」了一聲，才鈍鈍的說：「你爸媽對我們好好哦。」

「那是因爲我爸和你爸是大學時的好同學，你爸媽都不在，他當然要關照關照你們。」

「我知道。咦？這就是『愛屋及烏』嘛。」一朗對自己運用了成語，很是開心。「還有，我發現你很喜歡跟我爺爺講話。」

「他愛種花草，我喜歡植物，所以很聊得來，我們是『忘年之交』。」

「那，你會因爲喜愛一個老爺爺，於是連帶也喜愛他的孫子嗎？」

辛晴想了想。「會啊。雖然一飛頑皮得很，我還是喜歡他的。」

一朗差點跌倒。

愛屋及烏

【解鈴還須繫鈴人】《尚書大傳》

武王與紂戰於牧之野，紂之卒輻分，紂之車瓦裂，紂之甲魚鱗下，賀乎武王。紂死，武王皇皇若天下之未定，召太公而問曰：「入殷奈何？」太公曰：「臣聞之也，愛人者兼其屋上之烏；不愛人者及其胥餘，何如？」武王曰：「不可。」召公趨而進曰：「臣聞之也，有罪者殺，無罪者活。咸劉厥敵，毋使有餘烈，何如？」武王曰：「不可。」周公趨而進曰：「臣聞之也，各安其宅，各田其田，毋故毋私，惟仁之親，何如？」武王曠乎若天下之已定，遂入殷。

【打開天窗說亮話】由於喜愛某個人而連帶愛護停在他屋上的烏鴉。比喻非常喜愛一個人，於是連帶也喜愛與他有關的人或物。

【聞一知十頗類似】推愛屋烏

【舉一反三相作對】殃及池魚

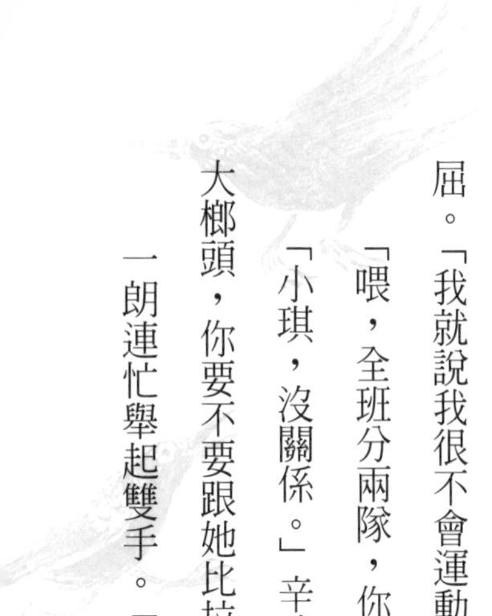

3. 從善如流

希望那兩個人也能「從善如流」，吃得健康一點！

「小琪！不能躲，這是棒球，不是躲避球！」

一朗生氣的喊著。看著綽號「李維拉」（美國職棒洋基隊王牌救援投手）的李奎發因贏球而得意的臉，他就一肚子火。

畢琪甩甩辮子，神情怯懦的交回球具，拉拉春天寒風中的衣領，十分委屈。「我就說我很不會運動了，尤其怕球類運動。剛剛就叫你不要選我了。」

「喂，全班分兩隊，你是被挑的最後一個，我能怎樣呢？」

「小琪，沒關係。」辛晴趕過來安慰好友，順便爲她出口氣：「做什麼？大椰頭，你要不要跟她比拉小提琴或畫畫或烹飪？」

一朗連忙舉起雙手。「不是那個意思嘛。其實運動很好的，而且我們很

幸福，有各種球具可以使用。你看你那個表弟不是沒有好手套嗎？破破爛爛了，卻不能丟，因爲全校只有那一個！所以我們要珍惜每個機會嘛。咦？大家在看什麼？」

循著一朗的視線望去，只見校門口擠著許多剛下課的師生，紛紛看著馬路對面，交頭接耳的。原來是那家汽車旅館的巨型看板！工人已拆下了清涼美女圖，正在裝貼新的大照片。

「哇……好漂亮哦！」一片片拼貼完成的，竟是一幅淡水漁人碼頭的夜景圖，光輝燦爛。「眞的好好看哦！」師生們同時鼓掌叫好。

回到教室後，大家爭相討論起來，連老師也極爲高興。一個多星期了，附近居民多次「軟性抗議」，認爲兩所中小學就在旁邊，店家放這種「色情看板」實在非常不妥。

「還好他們懂得『從善如流』。」黃老師下了結論，又問：「知道什麼叫『從善如流』嗎？」

全班有的搖頭，有的答不知道，但少數幾人頷首。

「春秋時候啊，鄭國是個小國，爲了防禦強國楚國，便和晉國訂了盟

約。結果有一年，楚國眞的發兵攻打鄭國，晉國於是派兵援助，並且乘機攻打臨近的楚屬蔡國。楚軍得到消息後，馬上動員軍隊準備戰晉救蔡。

這時，晉國將領向主帥欒書建議行動，正面迎擊楚軍。而就在軍令即將發布的千鈞一髮之際，知莊子等三人卻勸說：『我們是來援救鄭國的，現在鄭國轉危爲安，我們不但不退兵，還去攻打蔡國，已經不義，若又和楚國打起來，多半贏不了；就算贏了也不光采，反而自取其辱，不如退兵啊！』主帥聽了覺得很有道理，便毅然命令撤軍。

由此可知，欒書能夠接受部屬提出的好意見，尤其是知莊子等三人的，難怪他的戰績這麼輝煌。因此，君子評論欒書的舉動是『從善如流，宜哉！』意思是，聽從好的、對的意見，就像流水般自然，是最適當的行爲。後來，『從善如流』就被用來比喻樂於接受別人好的意見。」

「所以才說那家汽車旅館『從善如流』，他們聽到並接受了大家的意見。」張見博沉穩應道，老師微笑點頭。

「老師。」舞菱舉手發言：「那我覺得營養午餐公司也該『從善如流』，聽聽我們『消費者』的意見。」

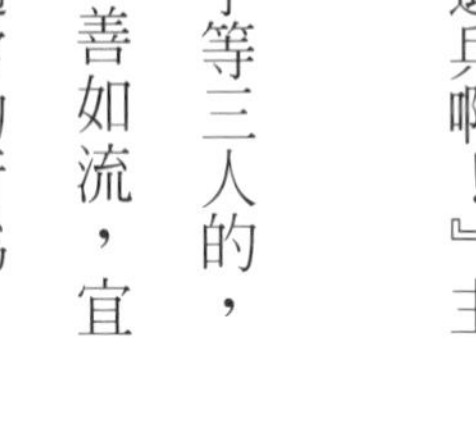

「當然。你們不要只是抱怨，可以開過班會後，把建議事項具體列出來，然後交給他們。」

吳舞菱喜孜孜的，立刻跟辛晴報備，明天的班會她會有個「臨時動議」。

隔天下午，全班討論出幾點請求改進的事項：一、一週四天，每天都要有蔬菜，而且不可只有根莖類；二、油炸類不超過兩次，可用紅燒等烹調方式取代；三、魚和蛋每週至少各供應一次；四、寧可要菜湯，也不要奶茶和汽水；五、五穀類如紅豆、薏仁、糙米等養分也請顧及，營養才能均衡。

這份班會記錄意見書，由學藝股長張見博繕寫、打字，再委請班長辛晴和副班長吳舞菱代表同學，轉交給約好來到學校的午餐公司業務經理。

走出活動中心時，舞菱指指在門口偷窺的一朗和奎發說：「希望那兩個人也能『從善如流』，吃得健康一點！」他倆是少數提議每天要供應炸雞、披薩和可樂的人。「實在太誇張了，這兩個男生。」

從善如流

【解鈴還須繫鈴人】《左傳．成公八年》

晉欒書侵蔡，遂侵楚，獲申驪。楚師之還也，晉侵沈，獲沈子揖初，從知、范、韓也。君子曰：「從善如流，宜哉！《詩》曰：『愷悌君子，遐不作人？』求善也夫！作人，斯有功績矣。」是行也，鄭伯將會晉師，門於許東門，大獲焉。

【打開天窗說亮話】比喻樂於接受他人好的意見、善意的勸導。

【聞一知十頗類似】從諫如流、納善如流

【舉一反三相作對】剛愎自用、固執己見

4. 閉月羞花

畢業修花？那如果沒畢業呢？去除草嗎？

當六年級女生圍坐在一起時，除了少女漫畫、衣著、祕密之外，會聊什麼呢？

「大鳴也太『公子』了吧，什麼事都不管，跟他講話不回應，掃除也隨便做做，一放學就被司機接走。好權貴！但他全身都好整齊，也滿帥的。」江敏宜興奮的拍了手。

「那個大榔頭雖然壯，卻有點有勇無謀，衣服也不紮好。不過很陽光、很有義氣。」辛晴說。

「那個鳴公子的發聲筒，『隆隆響』的，最粗魯無禮。」畢琪表示。

「那個小博士不只國語好，數學也好，什麼科目都好！對女生也很體貼

耶！」舞菱點頭。「雖然沒有很帥，但當他的女朋友應該很幸福。」

「我眞的覺得嗚公子喜歡我，雖然其他男生也是。」似玲發出哀怨的音調，辛晴忍不住請她別想太多。

是的，她們聚集時會聊男生。而另外一邊的，除了籃球、棒球、電腦遊戲外，聊的也是女生。

「班長是很獨立的新女性，而且清秀甜美。」見博一副心蕩神馳的模樣。

「沒錯！」一朗附議。「還有，你看她旁邊那個五五〇，雖然『恰北北』，但不只會跳舞，長得也很漂亮。」

「再旁邊那個『南施』也會跳舞啊！她卻一直誣賴我們，說每個男生都喜歡她，尤其是嗚公子。」奎發搖搖頭，高大的身子也晃動著。

「我每次聽了都想吐！」丙隆低頭偷看「遊戲王」卡，還故做嘔吐狀。

「不要這樣！」見博制止他。「『隆隆響』，這樣太沒禮貌了。」

「好啦，你最有禮貌。」丙隆說，隨即擡起頭來。「綁辮子的小琪雖然太膽小，倒是很會做菜，她的男朋友一定不會餓死。」

「大男人主義！我爸說我們要當『新好男人』，要體貼老婆，幫老婆煮飯。」

「你慢慢煮吧！」丙隆的眼神還停留在望著的前方。「五五○眞漂亮耶，連那顆美人痔都漂亮！唉，我怎麼只講得出『漂亮』這個詞呢？」

一朗誠心建議：「你可以說她『畢業修花』。」

「『畢業修花』？那如果沒畢業呢？」剛做完校園志工花圃服務的奎發，認眞想著。「去除草嗎？」

「天哪！是『閉月羞花』啦，關閉的閉、害羞的羞！」張見博快昏倒了。

「知識好豐富哦。」一朗笑了出來。「你這種人在女生面前很吃香。」

「眞的嗎？」見博摸摸臉頰。「可是我不敢跟她告白，我怕她不喜歡我這一型的……」

「同學。」老師的聲音突然出現，而且穿越了整個教室的吵雜。「讓你們男女分開討論『性別平等』的議題，怎麼就開始聊天聊不停啊！」

大家呵呵笑後，安靜了下來。黃老師啼笑皆非道：「上次的綜合課程，

你們分組討論『地球環境遭到的破壞和解決能源問題的方法』，就非常投入。今天是也很投入啦，但女生全在聊男生哪個強壯、哪個帥、哪個體貼；男生則聊女生哪個獨立、哪個漂亮、哪個可以當老婆。」

明明剛剛還興沖沖的品頭論足，現在卻可以「啊喲」的叫著、嫌棄著、撇清著，應該就是這個年紀的孩子對異性的態度了。

「然後，」老師提高音量，並在黑板上寫字。「我聽見有人讚美女生『畢業修花』。」

全班頓時爆笑出聲，有人還誇張的笑到拍桌子，一朗只能無言。

「是『閉月羞花』。」老師把正確的字寫上。「做〈七步詩〉的那位曹植啊，在〈洛神賦〉裡形容洛神出現的時候，是像雲一樣飄過來，把月亮都遮蔽起來了。也就是月亮看到洛神時，都覺得自己比不上洛神美麗。

而李白的〈西施詩〉裡，讚西施美到連荷花都羞顏、自歎不如。所以後來文人雅士便常用『閉月羞花』來形容女子的美貌。『沉魚落雁』也是，說那貌美的程度，魚見了也羞愧的沉入水中，雁見了便驚而高飛入雲。這樣明白了嗎？是『閉月羞花』，不要再講成『畢業修花』了！」

一朗的頭更低了，奎發咯咯笑，根本忘了自己也是「半斤八兩」。

「老師。」一片笑聲中，舞菱舉手發問：「那要怎麼形容男生呢？」

瞬時，「雄壯威武」、「帥氣英俊」、「潘安再世」都出籠了。

「這些都可以，『氣宇軒昂』、『玉樹臨風』也很好，還有『雄姿英發』。『雄姿英發』是蘇東坡在〈念奴嬌．赤壁懷古〉中形容周瑜的。『遙想公瑾當年，小喬初嫁了，雄姿英發，羽扇綸巾，談笑間，強虜灰飛煙滅……』」

「『雄姿英發』……」舞菱唸著，深深點頭，謝過老師後坐下。

在這一刻，幾乎每個男生都把「雄姿英發」四字印在心裡，好像那是今後人生必須努力奮鬥的新目標……

閉月羞花

【解鈴還須繫鈴人】「閉月」：三國魏．曹植〈洛神賦〉

御者對曰：「臣聞河洛之神，名曰宓妃，然則君王所見，無皞是乎？其狀若何？臣願聞之。」余告之曰：「其形也，翩若驚鴻，婉若游龍。榮曜秋菊，華茂春松，髣髴兮若輕雲之蔽月，飄飖兮若流風之迴雪。遠而望之，皎若太陽升朝霞，迫而察之，灼若芙蕖出淥波。……」

「羞花」：唐．李白〈西施詩〉

西施越溪女，出自苧蘿山。秀色掩今古，荷花羞玉顏。

浣紗弄碧水，自與清波閒。皓齒信難開，沉吟碧雲間。

勾踐徵絕豔，揚蛾入吳關。提攜館娃宮，杳渺詎可攀？

一破夫差國，千秋竟不還。

【打開天窗說亮話】 形容女子容貌十分姣好、絕美。

【聞一知十頗類似】 沉魚落雁、如花似玉、花容月貌、國色天香

【舉一反三相作對】 其貌不揚、無鹽之貌

在同一條船上

5. 拋磚引玉

你捐兩百元，我捐二十萬！

上綜合活動課時，黃老師再次表揚六年愛班獲得「校園公共服務優良獎團體獎」。

「六愛眞的是熱心公益，老師非常以你們爲榮！」全班紛紛鼓起掌來，一朗都拍紅了手。「可見大家很善良，很有愛心，這是最重要的品格。恭喜你們！好，現在回到本週課程主題——關懷弱勢。」

進行了一些關於孤兒、植物人、失能老人、貧困家庭及各種殘障弱勢族群的例證後，老師提出「偏遠地區小學教育設施」更是容易被忽略的弱勢。

她看著畢琪，問：「小琪，你的遠房表弟不是有這樣的問題嗎？來，爲我們說明一下。」

畢琪絞著手指，怯生生站了起來。「呃……，他們學校在……花蓮偏遠的山上，他念五年級，是學校棒球校隊。他們全校只有一臺電腦，老師和學生共用。還有……全校也只有一顆籃球；棒球球具方面，是一個手套、一根球棒和一顆棒球。寒假過年時我碰見他，他說手套已經破得快爛掉了，但不能丟，因爲那是學校唯一的一個。」

「好可憐哦……」幸福的臺北小學生們，簡直無法想像。

「那次回去，我從壓歲錢裡捐出八百元，幫助他們球隊買新手套。」

「小琪眞有善心，很好。」黃老師不住點頭。「偏遠山區的生活都比較窮困，學校的經費也少，但一個學校，甚至一個球隊都不應該只有一個手套，我也來幫助他們。嗯……老師就捐三千元吧。」

全班「嘩」了一聲，辛晴舉手說：「我可以捐三百元。」

「那我再捐兩百元！」畢琪對著好友附議，表情很開心。

之後，不斷有人「我一百！」「我兩百！」「我五十！」的喊，老師要大家量力而爲，不要勉強。

「我捐五百元，我的撲滿裡應該有五百元。」舞菱在座位上說，然後看

向後方的大鳴。

大鳴接收了兩道視線，隨即高聲說：「我一千！」不愧是鳴公子，很多人竊竊私語著。

「我……」這時，一朗站了起來，熱血沸騰的。「我……二十……萬！」

二十萬？大家瞠目結舌，聽錯了吧？以一朗的財力來看，應該是二十元吧？

「一朗！你瘋啦？不要衝動亂喊！」奎發趕緊阻止這個怪異行徑。「爺爺雜貨店的東西都賣光也沒有二十萬啊！」

大家議論紛紛，有的笑一朗裝闊、信口開河，有的勸他懸崖勒馬。老師也盯著他看，卻覺得他不像開玩笑。

「我沒有瘋。」一朗抖開手上的宣傳單，朗聲而唸：「第一屆臺灣十一～十三歲學生『十能少年團體錦標賽』，爲期兩個月，冠軍獎學金二十萬元，亞軍十萬元，季軍六萬元，殿軍三萬元。如果我們班參加了，拿到冠軍，就能把二十萬元捐給小琪表弟的學校，讓他們的野手、投手不只可以人人有手套，連球棒、面罩等整套球具，還有釘鞋、球衣、球帽也都能擁有了！」

老師的眼裡閃著淚光，立刻要一朗把單子拿給她看。稍後，她對全班解說：「這是以班級為單位、自由報名競逐的活動。項目有：詩歌朗誦、壁報製作、作文集體創作、音樂演奏、大隊接力、拔河、啦啦隊、籃球鬥牛、馬拉松和棒球，共十項。獲得『十能少年獎』首獎獎勵二十萬元。嗯，有了這筆錢，看來他們不僅能添購體育用具，連電腦設備都可以加裝了。大家覺得如何？」

同學們紛紛交頭接耳，老師建議開個臨時班會。十分鐘後，全班決議參加，並在獲獎時將獎金全數捐給山上小學。

「真的嗎？」老師再次確認。見大家都點頭，又說：「還好校慶不在這學期，但學校還是有很多活動要顧及，而且你們也要好好準備定期評量考試，大家真的有辦法嗎？」

「有！」一朗、奎發、見博、辛晴等幾人喊得最大聲。

「有心行善其實就很棒了，但若有貢獻的機會，也當全力以赴，不能遇到挫折就輕易放棄。記得，練習再怎麼辛苦，都要撐下去，因為承諾是要信守的。如果能比完這十項，那麼這兩個月將是你們國小畢業前最棒的日子！

也會是你們人生中美麗的回憶！」老師微笑的望著全班。「很好，不枉費老師『拋磚引玉』。呵呵，知道什麼是『拋磚引玉』嗎？」

有人舉起手，同時說：「就是把磚頭丟出去，引來的卻是寶玉！」

「對，嗯，一朗眞棒！」老師又流露出感動的眼神。

一朗帶著驕傲與害羞的表情笑著，他的「麻吉」奎發拍了他一下肩，說：「不賴嘛，寶貝。」引得大家咯咯笑了開。

老師點點頭，繼續解釋：「『拋磚引玉』的例子和典故很多，最有名的要算是常建與趙嘏的一段故事。唐朝詩人常建很佩服趙嘏的才氣，一直希望能夠得到他的詩句。有一次，他聽說趙嘏要到蘇州來，覺得是千載難逢的機會，但兩人互不相識，要用什麼辦法才能讓文豪留下詩句呢？他想，趙嘏一定會去著名的靈巖寺參觀，於是先在寺中牆壁題了詩，但故意只寫兩句，希望趙嘏看了以後能補上。之後，趙嘏遊覽靈巖寺時，果然在那兩句後面接續了兩句，而且意境更高，確是好詩。

所以後人認爲，常建用自己不是很棒的詩，換來了趙嘏的精采好詩，目的達到了，根本就是在『拋磚引玉』嘛。由此可知，『拋磚』是手段，而

『引玉』是目的。」

「啊！我們上老師的當了！」丙隆大聲喊。

「不是的。」黃老師連忙說：「是你們開會決議的不是嗎？『拋磚引玉』也是自謙的話哦。老師起頭做了一件事，的確希望獲得大家的響應，但沒想到你們的回應這麼好、志向這麼遠大。所以我更覺得自己用磚塊引來了美玉，眞是欣慰，也更欽佩你們了。」

「『拋磚引玉』是好事。」見博說。

「對，是好事。雖然老師不是山上國小的人，你們也還不一定能拿到冠軍，但值得我向你們致敬。」說著，老師欠身，向全班深深鞠了躬。「謝謝！」

大家不禁拍起手，臉上漾著開心和極想達到目標的笑容。

「啊，老師不要這麼客氣啦。」一朗故作瀟灑的揮著手。「我們只是『從善如流』而已啦。」

「是『愛屋及烏』吧。」辛晴糾正。

「不是『畢業修花』就好了。」舞菱搖頭說，全班又是大笑。

拋磚引玉

【解鈴還須繫鈴人】《談徵．言部．拋磚引玉》

趙嘏至吳。常建以有詩名，必遊靈巖寺。建先題云：「館娃宮畔十年寺，水闊雲多客至稀。」末二句未續。嘏遊寺續云：「聞說春來倍惆悵，百花深處一僧歸。」人以建為拋磚引玉。

【打開天窗說亮話】自己先發表不很好的詩文或觀點，以引出他人佳作或高論，現多用做自謙之詞。

【聞一知十頗類似】投礫引珠、引玉拋磚

【舉一反三相作對】因小失大、賠了夫人又折兵

6. 運籌帷幄

應酬？想奪得首獎，為什麼需要應酬？

在決定參加「十能少年」競賽後，全班馬上進行比賽項目的分配。有好幾項規定了男女數目，但男生不肯跳舞，女生不願弄髒，被選爲執行長和副執行長的辛晴和一朗，頭痛得很。

上完國語課文，黃老師請畢琪先不要把計劃告訴表弟後，留了點時間讓大家討論「十能少年獎」的進度。

「怎麼沒有服裝比賽或『走秀』啊？」除了啦啦隊，舞菱看不出自己還能參加哪一項。

「沒有躲避球或滾車輪嗎？」奎發偷偷嚼著一朗帶來的小王子麵，嘀咕著。一朗輕搥了他：「你幾年級啊？還滾車輪！」全班都笑出聲。

「老師，我們會不會太異想天開了？」敏宜在大隊接力與壁報組之間矛盾著。「要十項全能耶，還拿首獎？我們班除了公共服務外，從沒進過全年級的前五名。」

「所以要好好『運籌帷幄』啊！」老師笑答。

「應酬？」一朗擡起頭。「爲什麼要應酬？」

「『運籌』！是『運』啦！」老師撮起口，失笑，隨即在黑板上書寫。

「『籌』是計謀、策劃；『帷幄』，就是『帷帳』，是古代軍隊的帳棚。指的是在軍帳裡籌劃、指揮，擬定作戰策略。

大家還記得楚漢相爭的劉邦和項羽嗎？項羽兵敗後，在烏江自刎而死，劉邦成了天下共主，開創了西漢。但明明是項羽比較有才能的，爲什麼會這樣呢？劉邦後來就說，若要講到『運籌帷幄』，也就是坐在軍營中策劃戰略，而在千里之外得到勝利，這點我不如張良；而論安定國家人民，保障物資的給予和流通等，我比不上蕭何；再說到帶兵打仗，可以戰無不勝，攻無不克，我又不如韓信了。這三個人都是人中豪傑，我能重用他們，才是我能取得天下的原因啊！而項羽有一位賢臣范增，卻沒有好好重用，所以成了我

的手下敗將。

後來，就有了『運籌帷幄』這個成語。所以，只要事前好好擬定計劃，運用策略來指揮與執行，多半就能成功了！」

「眞希望如此！」舞菱在壁報製作那一欄簽了名。她想，有善於繪畫的畢琪在，一切應該就能搞定。

「由於是第一屆，每個學校早就有自訂的行事曆了，參賽隊伍應該還不多，國一的課業也比較重，所以這是你們機會最好的一年哦。」老師繼續分析。「主辦單位一定是希望學生多運動，所以光是動身體的項目就有六項。」

辛晴站起來報告：「現在的情況是，有的項目人不夠，有的人又太多，而一個人不能參加超過五項，所以無法全靠一朗、奎發這些體育好的同學拚。」

老師點點頭。「用自己的專才、長處和喜好認領參加，這很好，但也應考慮你們做善事的初衷，畢竟共襄盛舉才是最重要的。已經確定參加的項目必須趕快推選出組長、開始編排和練習了，名單則可以陸續完成。記得一定要同時進行，這樣時間才夠。」

「好，分配的工作我和一朗會繼續努力。」辛晴說。「像舞蹈社的舞菱自然是任啦啦隊隊長了，必須先編舞，邊等隊員找齊。」

「收到。」舞菱半舉手臂。「規定需要三個男生哦，趕快來報名。」

男生都低下頭，心想：就算再喜歡五五〇，也不能跑去跳舞，那能看嗎？

「先比賽的是音樂和詩歌朗誦。」一朗接著說：「已經有一些人簽名，要開始準備了。我想這兩項和壁報製作是我們班最拿手的，積分應該可以高一點。」

老師：「對，拿手的，就多加強，盡量拿高分；比較弱的，最起碼不要太糟。積分只要不被拉低，就應該大有可爲。」

丙隆這時突然說：「老師！嗚公子的堂哥也有參加，他是信班的。」

「我堂哥也是。」辛晴表示。「他念豪傑國中一年級，國一還可以參賽。」

一朗大聲說：「那你們就要多打聽打聽消息了。『知己知彼，百戰百勝』嘛。」

「哇，一朗用成語耶！」見博鼓起掌來。奎發隨即笑說：「不錯嘛，寶貝，有『用用腦』哦。」

運籌帷幄

【解鈴還須繫鈴人】《史記．卷八．高祖本紀》

夫運籌策帷帳之中，決勝於千里之外，吾不如子房。鎮國家，撫百姓，給餽饟，不絕糧道，吾不如蕭何。連百萬之軍，戰必勝，攻必取，吾不如韓信。此三者，皆人傑也，吾能用之，此吾所以取天下也。項羽有一范增而不能用，此其所以爲我擒也。

【打開天窗說亮話】比喻事前的籌謀與策劃。

【聞一知十頗類似】運籌決勝、幄中運籌

【舉一反三相作對】一籌莫展、半籌莫納

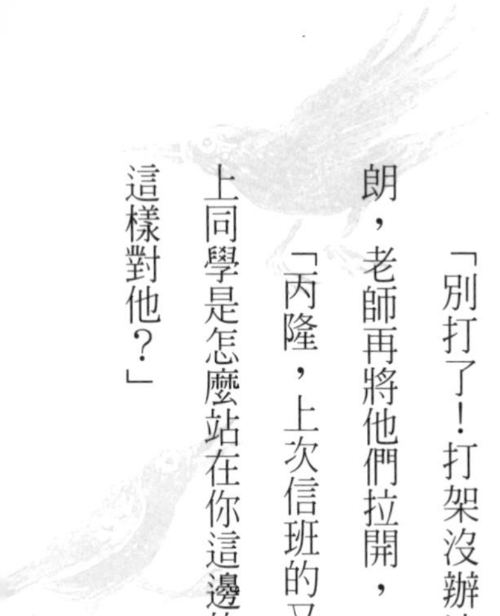

7. 同舟共濟

我們坐在同一條船上，是生命共同體啊！

「老師，『隆隆響』又笑一朗的媽媽是『外籍新娘』，兩個人現在打起來了！」

下課時，正和幾位同學分享報紙上關於蝴蝶報導的黃老師一聽，立刻起身趕往走廊事發現場。

「別打了！打架沒辦法解決事情！」見到已被兩群人架住的丙隆和一朗，老師再將他們拉開，一朗漲紅的臉依舊忿怒著。

「丙隆，上次信班的又豪說你是外省人、要你們全家滾回上海去時，班上同學是怎麼站在你這邊的？一朗為了你還差點跟又豪打起來。但今天，你這樣對他？」

丙隆的頭低了下來，咬著唇，慢慢甩開架在自己身上的好幾雙手臂。

上課鐘聲響了，下一堂是導師的課，而導師現正站在走廊上，並未移動步伐。老師請班長將大家召集過來，準備就地來場「戶外課」。

「你們看。」老師揚起手中來不及放下的報紙：「臺灣是個寶島，連鳥類都會從世界各地飛來，更何況人類有選擇居住地的自由！報紙刊登了高速公路封閉兩公里的外側車道，只因爲每年春天都有大批紫斑蝶要飛往北部繁衍下一代，爲了不讓紫斑蝶在遷徙時撞上高速行駛的車輛，所以才封閉車道，還架起了防護網，引導牠們飛高一點。這說明什麼？我們對待蝴蝶都如家人一般了，爲什麼對生活在同一塊土地上的家人反而像仇人一樣呢？」

全班都靜默著。老師又說：「孫子曾說，會稽的常山有一種大蛇，如果被攻擊頭部，牠的尾巴會來救應；而攻擊牠的尾巴，頭部就來救應；若攻擊牠的腰部，頭尾就都一起來救應了。軍隊用兵也可以這樣。像吳、越兩國一直是世仇，但當他們同坐一條船，遇到風雨時，也一定會團結，努力度過難關。這就是『同舟共濟』的由來。

現在，所有臺灣人都是坐在同一條船上，喝同樣的水，處於相同的境

地，是生命共同體啊。其實，除了『原住民』是最原始的臺灣人外，其他都是後來才到臺灣的。但不管什麼人，甚至是來自外國的『新住民』，美國人、越南人、非洲人，還是馬來西亞人，只要在臺灣住下了，認同這塊土地，和大家一起奮鬥、一起追尋幸福，就可以說是臺灣人。你們想想，見博是上學期期末才轉到我們學校，還那麼有緣的轉來我們班，但有人會因爲他比較晚來，就不認爲他是我們六年愛班的人嗎？」

每個人都搖搖頭，連丙隆也是。見博的臉頰紅紅的，在微笑。

「儘管他還是在南非出生的，但對班上那麼付出，而一朗更一直是熱心助人。這一切，請問如果不是認同我們的班級、愛我們的同學，那是什麼呢？」

「我……」靜默之中，丙隆突然支吾起來。「一朗的媽媽，是外國人……不然，要叫什麼？」

大家都愣住了。舞菱跺了一下地板，說：「就叫許媽媽啊！」

老師笑了，想了想，便試圖緩頰：「哦，原來一切都是誤解，丙隆只是不知道如何稱呼一朗的母親而已。那麼，誠心向一朗道個歉就好啦。另外，

大家應該多少都知道一些，就是一朗的父親幾年前去世，母親回馬來西亞後也再嫁了，他和弟弟由爺爺兼代父母之職養育，他卻能這麼樂觀開朗、熱情又正直。所以我們要向含辛茹苦的許阿公致敬，他實在太偉大了！」

三十個孩子竟拍起手來。一朗也笑了，想起祖父，眼睛裡盡是清澈秋水。

「好了，誤會解開就好囉。記得，以後說話要用用腦，也不要再爲小事就輕易被挑起情緒。大家生活在一起，都該同舟共濟、患難與共。丙隆和一朗，你們今天眞是受益良多哦。」

「老師！那『十能少年』大賽的啦啦隊怎麼辦？需要三個男生，都還沒有人認領。」辛晴舉手問，並看了看丙隆和一朗。大家的視線也跟著落在兩人身上。

「不要——」剛還在打架，此時兩人居然同心一氣。「不要——」

奎發立即挺身說：「哈囉，你們今天可是受益良多的人耶，要懂同舟共濟嘛，寶貝。」

同學們都哈哈大笑，老師也不說話，只微笑帶著大家往教室移動。因爲

全班「同舟共濟」、「患難與共」的聲音，一直如配樂般伴隨著丙隆和一朗。

同舟共濟

【解鈴還須繫鈴人】《孫子．九地》

故善用兵者，譬如率然。率然者，常山之蛇也，擊其首則尾至，擊其尾則首至，擊其中則首尾俱至。敢問：「兵可使如率然乎？」曰：「可。夫吳人與越人相惡也，當其同舟而濟，遇風，其相救也如左右手。是故方馬埋輪，未足恃也；齊勇若一，政之道也；剛柔皆得，地之理也。故善用兵者，攜手若使一人，不得已也。」

【打開天窗說亮話】同坐一條船渡河，比喻互助團結，共同想辦法解決困難、度過難關。

【聞一知十頗類似】風雨同舟、同心同德、同心協力

【舉一反三相作對】各行其是、各自為政、離心離德

8. 罄竹難書

喜歡我的男生，已經多到「罄竹難書」了……

在報名名單確定前，六愛的同學們也把握時間，展開了編排和練習。他們希望能夠成功奪冠，所以儘管喊著：「我爲什麼要這麼命苦？」還是咬緊牙關苦練。

「我晚餐要少吃一點了，不然到時根本做不到自己設計的動作！」啦啦隊長舞菱說。她和壁報組長畢琪，一起走在學校旁的紅磚道上。「天哪，生活中處處充滿了可怕的『熱量』！」

畢琪看著好友，皺起眉頭：「辛苦你了，小舞。你知道，我眞的很想幫你，但我實在太沒有運動細胞了，『體適能檢測』還是全班最差的。」

「不要這樣講，你有著一大堆人都沒有的才能呢！一起努力吧！」

兩人又說說笑笑，途中遇到一朗和弟弟一飛，一飛頑皮的輕拉畢琪的長辮子，一朗則叫喚跟來上學的愛狗「玩具」回家去。

接近校門口，被媽媽騎機車載著的見博也剛到；而辛晴、辛雨姊妹倆，正步下母親駕駛的汽車，一朗趕忙上前，探身問候辛媽媽。

幾個六愛的同學彼此擊掌、打著招呼，一起步向教室。但才相約要繼續練功，瞬間又被剛停下的黑亮大轎車吸引了視線，大家都驚訝鳴公子今天上學居然沒遲到！

只見陳大鳴從容不迫下了車，丙隆正好和他並肩走。然後，他們停步了，因爲被兩個人攔住了去路。那是和大鳴極爲不合的堂哥陳慶築，以及丙隆的死對頭：信班的張又豪。一朗一行人見狀，忙圍上去。

「喂，不要亂來哦。」人還沒到，奎發先喊。

張又豪不知說了什麼，自己誇張笑著。而陳慶築正眼神不屑、挑釁的說：「那麼想成爲我們班的手下敗將嗎？你們配拿那二十萬嗎？也不照照鏡子。別浪費時間了，永遠的失敗者！」

丙隆被激得想上前，一朗拉住他；而大鳴只是瞪看堂哥，沒有說話。慶

築的眼睛轉向他喜歡的舞菱，說：「你很可憐，竟然跟他們同一班。」

僵持中，大鳴突然從人縫裡側身走了出去，大家也就跟著散開。

「到時是自取其辱哦。」陳慶築在後面笑吼著。「丟人！自不量力！」

辛晴等人聽了很生氣，但只能強忍著。上自然課時，吳老師看到他們「異常乖巧」，很不「自然」，覺得事有蹊蹺，便告訴了黃老師。黃老師叫了辛晴來，才知曉這段插曲。

「千萬別中計。」稍後，她對全班說。「有人這樣激你們，目的只有一個，就是讓你們喪志。只要你們能在賽前軍心潰散，或乾脆退賽，他們就少一個對手了。」

「啊！好奸詐！好機……」一朗率先發洩出來，但遇上老師的眼神，又改口：「好機……好個機器腳踏車！」

大家笑了出來，奎發旋即搶著說：「他們很壞！尤其是那個陳慶築，不只會欺負人，還欺負動物！做的壞事數都數不完！」

「眞是罄竹難書。」見博搖搖頭。一朗聽了，馬上說：「『慶築難書』？原來這句話就是爲他而設計的耶！眞的是『慶築難書』！」

「不是那兩個字啦！」幾個同學哈哈大笑。

「是用罄的罄，竹子的竹。」老師知道一朗誤解了，連忙解釋。「古時候沒有紙，字是寫在竹子做的竹簡上。本來這句話的原意只是說：把所有竹子都做成竹簡也難以寫盡，並沒有負面的意思。但到了隋朝末年，隋煬帝楊廣不僅殺了父親和兄長，奪了帝位，而且奢侈、荒淫又好戰，強徵民力和民稅，弄得國庫空虛，民不聊生。

這時，想推翻暴政的義軍四起，其中有位首領李密在揭露楊廣的十大罪狀時，說：『就算用盡南山的竹子作竹簡，也寫不完楊廣的罪行；決開了東海的水，也洗不盡楊廣的罪惡。』最後隋煬帝被自己的部下絞殺而死，隋朝也隨之滅亡。之後，世人便習慣用『罄竹難書』來形容一個人的罪行多到數不完、寫不完。」

「所以我們不要被這種『罄竹難書』的人打倒！」一朗喊著。奎發也跟進：「不要讓自大鬼、大壞人稱心如意！」

幾乎是一呼百應，大家都同仇敵愾。老師卻說：「同學們，我們不要裁判別人是『怎樣』的人，只要知道自己該做『什麼』就好了。」

「老師。」似玲突然舉起手，問：「那現在講『罄竹難書』，可以使用原意嗎？」

「你的問題很好。不過，這個詞是負面的意義已經很久了，多半用來講人的罪行很多。」

似玲竟低下頭，深深歎了口氣。「可惜，我本來想說：喜歡我的男生已經多到『罄竹難書』了……」

三十個人幾乎同時趴在桌上。

罄竹難書

【解鈴還須繫鈴人】 1.《舊唐書．李密傳》

罄南山之竹，書罪未窮；決東海之波，流惡難盡。

2.《呂氏春秋．季夏紀．明理》

其雲狀有若犬，若馬，若白鵠，若眾車；有其狀若人，

蒼衣赤首不動，其名曰天衡；……國有游蛇西東，馬牛乃言，犬彘乃連，有狼入於國，有人自天降，市有舞鴟，國有行飛，馬有生角，雄雞五足，有豕生而彌，雞卵多毈，有社遷處，有豕生狗。國有此物，其主不知驚惶亟革，上帝降禍，凶災必亟。其殘亡死喪，殄絕無類，流散循饑無日矣。此皆亂國之所生也，不能勝數，盡荊、越之竹，猶不能書。

【打開天窗說亮話】比喻罪狀之多，難以寫盡。

【聞一知十頗類似】惡貫滿盈

【舉一反三相作對】功德無量

9. 口若懸河

救命哦，你堂哥也太會講話了！

辛爸爸覺得耳膜快被震破了，不得不請辛媽媽將玩瘋了的辛雨帶出門逛街，室內才恢復了寧靜，讓辛晴與同學可以好好做各項討論。

「我妹是『追星族』和『人來瘋』。」辛晴揮著汗說。

她和舞菱、畢琪、見博、似玲還在家裡開會及練習。因爲今天是星期天，得用自己的鋼琴，才能和畢琪的小提琴、似玲的大提琴合奏，還得和見博排練詩歌朗誦和作文題型。而畢琪又必須和舞菱、見博討論壁報製作；舞菱也剛好要和似玲編排啦啦隊舞。

所有準備工作都緊鑼密鼓進行著，只有一個人低著頭，一直默不作聲。

「到底找我來幹嘛？我說沒空就是沒空。」他終於開口了。

「嗚公子。你的柔軟度那麼好，體操很行，為什麼不參加？」舞菱摸摸辛家的貓咪「透透」，勸說：「只要你加入，我們全組就可以開始練習了，等一下一朗、丙隆他們從學校練完接力和棒球也會過來。『沒關係』老師現在正和他們『運籌帷幄』中。」

大嗚的頭仍然低低的，嘴張得小小的，咕噥道：「不跳，每一項我都不參加。我要去補英文和數學了。」

「嗚公子，」打扮得花枝招展的似玲緩緩說：「難道，你不能為我而跳嗎？」

大家忍住跌倒的動作。但辛爸爸實在笑得太大聲了，這時門鈴響起，他正好避開尷尬，火速起身去開了門。「啊！阿皓來了！」

辛晴擡頭，向堂哥問聲好，便替同學介紹：「他是我堂哥，叫辛皓。念豪傑國中一年級，這次也參加了『十能少年』大賽。不知道是不是來刺探軍情的？」

「不是啦。」高高的辛皓笑著。「我遇到你媽媽和小雨，她請我先替她把買的東西拿回你家來，她們要繼續逛街。」

「眞麻煩你了！來，坐！」辛爸爸表示。「你們功課不重嗎？還能參加比賽啊？」

辛皓謝了座，說：「才國一，還好。其實，我覺得只要犧牲點時間，全力以赴，而同學之間也能同舟共濟，團結一致，就算是從這個活動獲得寶貴的人生經驗了，是千金也換不來的。」

大家一陣靜默，突然覺得，幸好沒有演講或辯論比賽，不然怎麼跟他比呢？

「阿皓眞是『口若懸河』啊，能言善道哦。」辛爸爸讚賞極了。

「沒有啦，我們國文老師講起課來，那才是頭頭是道、口若懸河呢！」

舞菱的眼睛直盯著辛皓，問：「爲什麼叫『口若懸河』啊？」

辛皓微笑。「剛好，我知道它的典故。在晉朝時，有位大學問家名叫郭象，他的知識豐富，又常常發表見解、述說觀點，那時的太尉王衍就形容郭象說話時，就像山上傾瀉直下的瀑布，源源不絕的灌注下來，永遠沒有枯竭的時候。原文是『懸河寫水』，寫，就是『瀉』。後來才演變成『口若懸河』，就是比喻一個人善於言談，說話滔滔不絕、能言善辯。但，可不是在

說我哦，二叔太擡舉我了！」

「辛堂哥好有學問哦！」舞菱充滿著崇拜，畢琪也拍著手，似玲的眼光則根本沒有離開過他。

「沒有、沒有，正好知道而已。還有，叫我辛皓就可以了。」他對舞菱說，又看看大家：「我該去學校練習了，你們也要加油哦。希望未來在比賽場上能和你們互相切磋，來個很棒的良性競爭。」

辛爸爸送辛皓離去後，見博搴先說：「救命哦，你堂哥也太會講話了！還好沒有演講這一項。」

「會怕哦？會怕就好。」辛晴瞇起眼睛說，「告訴你，他文章也寫得很棒，而且跑步又快，你要注意了。」

見博想起自己半推半就參加的「馬拉松」，覺得像場噩夢。

「辛晴，我懷疑你真的把我當好姊妹看。有這麼『優』的堂哥，竟然都沒跟我講！」舞菱的鼻孔幾乎噴著氣。

「我要去補習了。再見。」大鳴突地站起來就往門口去，似玲喊他也不回頭。

那天晚上，舞菱在日記上寫下「辛皓」兩字，還評了等第：「極優」，並加註：「雄姿英發」。

口若懸河

【解鈴還須繫鈴人】《世說新語・賞譽》

王太尉云：「郭子玄語議如懸河寫水，注而不竭。」

【打開天窗說亮話】形容人說話滔滔不絕，能言善辯、很會說話。

【聞一知十頗類似】滔滔不絕、侃侃而談、能言善道

【舉一反三相作對】默默無言、噤若寒蟬、張口結舌

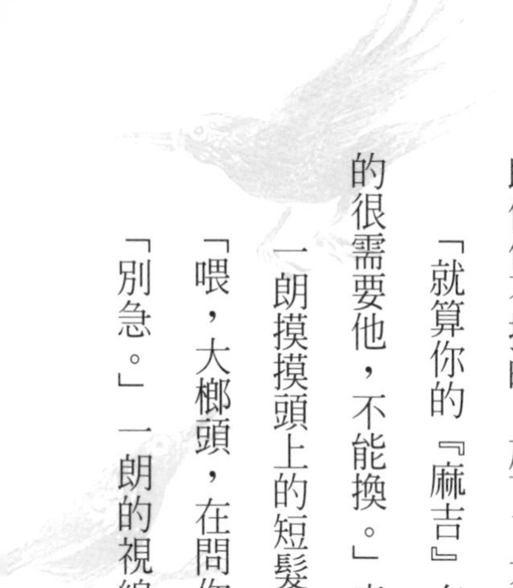

10 萬事俱備，只欠東風

什麼都妥當了，現在就看東風的意思了。

上完了綽號「很簡單」的張老師的數學課，擺脫滿腦列式與等式代數，辛晴和舞菱便去找一朗商討應該怎麼辦。

啦啦隊員還差一位，大鳴仍然不肯參加，事實上他什麼都不想參加。一朗依依不捨的，放下了才剛翻開的《三國演義》漫畫。

「就算你的『麻吉』奎發同意，他也早就滿五項了，那些體育項目又眞的很需要他，不能換。」辛晴剖析著。「但都找不到願意跳舞的男生了。」

一朗摸摸頭上的短髮，思考著，然後，又攤開漫畫書來看。

「喂，大榔頭，在問你事情耶！」辛晴跺著腳。「虧你是副執行長。」

「別急。」一朗的視線定在漫畫的某一頁，稍後才闔上。「聽過『萬事

俱備，只欠東風』吧？」

兩個女生點點頭，舞菱看看辛晴，覺得一朗今天有點不太一樣。

「在三國故事裡，諸葛亮不是用過『草船借箭』的計策嗎？其實他還借過東風哦。那時候，曹操的大軍有八十萬，劉備和孫權只好聯合起來抵抗曹操。

而在赤壁對峙時，周瑜就想用火去燒因爲浪大而把船都鍊在一起的曹軍了，但偏偏是冬季，只吹西北風，如果用火，反而會燒到自己的軍隊。周瑜因此急得病倒了。諸葛亮去探病時，送了他十六個字：『欲破曹公，宜用火攻；萬事俱備，只欠東風。』

周瑜驚訝諸葛亮想的竟和他一模一樣！他就請教諸葛亮，怎樣才能使冬天颳東南風。諸葛亮曾經學過奇門遁甲，可以呼風喚雨，他叫周瑜事先在山上修築七星壇，然後挑了吉時登臺焚香。

果然，半夜裡眞的颳起了東南風，已準備妥當的周瑜馬上下令火攻曹軍水寨。因爲東風助長了火勢，就把曹營的戰船都燒個精光了，曹操也趁亂逃走。從此開始，魏、蜀、吳才算眞的三分天下。」

「對這個故事這麼熟，原來是看漫畫的啊。但重點是？」辛晴問。

「我還喜歡玩三國遊戲啦，三國故事超讚的！哈哈！話說周瑜想用火去攻曹軍，什麼都準備好了，但只缺能把火吹向曹軍的東風。冬天裡不吹東風，這是很自然的，但後來孔明還是展現了借東風的能力。現在的情況是，鳴公子難請，那我就想辦法來請請看了。」

「怎麼請？」舞菱急急的問。

「這就要你們幫忙了！」一朗咧嘴笑著。三人隨即低聲說話。

到了自然課下課，一朗走到大鳴的座位旁。「鳴公子，我有很大的麻煩了，跟我出來一下。」

大鳴正做著自然習作，他已經在準備期中評量了。一朗不管他沒啥興致的樣子，硬是把他拉到走廊去。「呃，我困擾了很久，我……喜歡一個人，怎麼辦？」

「這種問題問我幹嘛？」大鳴顯得不耐煩，他只想快點去完成功課。

「因爲我知道你和我有相同的困擾。你不必否認，我不會講出去的，但你也要發誓守口如瓶。」

大鳴冷冷盯著他，沒有說話。一朗看看旁邊，突然發現什麼似的驚呼：

「咦?那不是五五〇嗎?陳慶築不會在騷擾她吧?」

隨著視線望去，只見舞菱和慶築站在愛班和信班間的門口說著話，慶築一副長袖善舞、搭訕耍帥的模樣。大鳴的情緒突地有了一點波動，但仍強自鎮定。

「要是辛皓在就好了。唉。」一朗刻意歎息。「他超優的，也敢對抗惡勢力。而且，舞菱很崇拜他。」

大鳴「哼」了一聲，不以爲然的同時，內心還有了怒氣。

「一朗。」辛晴走過來，遞了張紙條給他。「有人放在我桌上叫我轉交的。」

「哦?」一朗打開紙，唸了出來：「辛皓：我向你挑戰！我一定會在比賽時打得你落花流水！使她崇拜我！任何人都不是我的對手！走著瞧！」

大鳴聽了，瞪大眼睛，忙搶過紙條來看，還邊說：「可惡……」

一朗和辛晴交換了一抹視線。這時，大鳴的頭擡了起來，拳頭也握起，瞪著走廊那邊的堂哥陳慶築。「辛晴，報名表現在在誰那裡?」

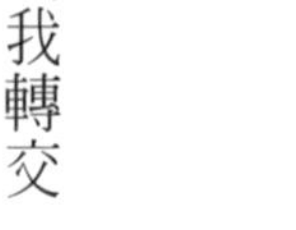

「在畢琪那裡。她還在傷腦筋，因爲她一點都不會也不想打棒球。」辛晴故意說。

大鳴「嗯」了一聲，即刻轉身走了。一朗對辛晴笑：「哈哈，萬事俱備，只欠東風。現在就看東風的意思了。不過，我們要趕快去解救五五〇了！」

那天中午練棒球時，大鳴竟然出現在投手丘上，讓眾人驚喜不已！辛晴在操場邊對一朗揚著手中的報名表，然後比了四根手指，再笑著點點頭。

一朗從未想過也能像諸葛亮一樣借到東風，也從來沒有覺得……自己是這麼的帥。

萬事俱備，只欠東風

【解鈴還須繫鈴人】《三國演義・第四十九回》

孔明索紙筆，屏退左右，密書十六字曰：「欲破曹公，

宜用火攻；萬事俱備，只欠東風。」

【打開天窗說亮話】 比喻辦一件事時，一切都準備妥當了，就缺最後一個關鍵條件。亦可當憑藉、利用大好的形勢來行事。

【聞一知十頗類似】 臨門一腳

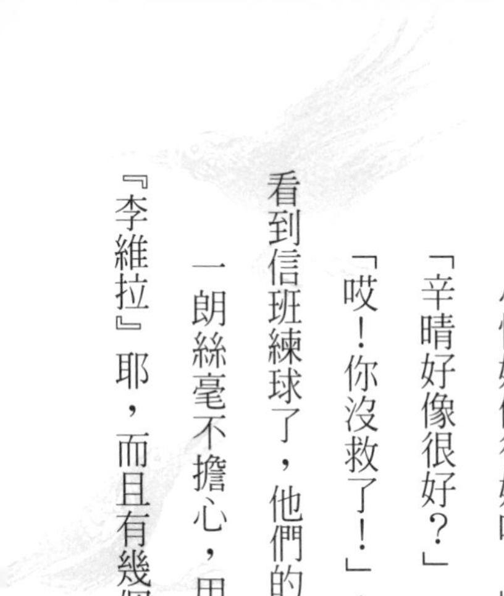

11. 餘音繞梁

不只三天，剛剛的音樂可以繞教室三年！

大鳴不只答應跳舞，還願意打棒球、拔河和作文，一共參與了四項賽事。辛晴和許多同學都高興極了，而辛晴的一句：「坦白說，我對你有點刮目相看。」又使一朗過了好幾天渾然忘我的日子。

「心情好像很好哦？」奎發故意摸摸一朗的額頭。

「辛晴好像很好？」一朗聞言，忙看向講臺。「她本來就很好啊！」

「哎！你沒救了！」奎發拿棒球手套拍了一下死黨。「跟你講，我剛剛看到信班練球了，他們的棒球很強，尤其那個陳慶築，直球的球速很快。」

一朗絲毫不擔心，用力拍了奎發的背：「安啦！快不一定有用。你是『李維拉』耶，而且有幾個人能像你一樣投指叉球？」

「你不知道，隊員規定要有三個女生，好不容易拜託了舞菱加入，剛剛她竟然又問我爲什麼不打『樂樂棒球』就好，說那樣比較不會弄髒，也比較不可怕。害我頭痛到現在……」

一朗笑到下巴快掉下來了，仍然不忘再安慰好友。沒多久，又將視線移到在講臺旁做準備的辛晴。

這一堂是高老師的音樂課。

全班先聆聽高老師指導過的辛晴、畢琪、似玲等五人的音樂演奏曲，那是由鋼琴、小提琴、大提琴合奏的一首海頓的奏鳴曲。大家沉浸在宛轉悅耳的樂聲之中，全忘了這陣子練習的辛苦，也忘了要參加好幾場比賽，更忘了期中考即將到來。

「哇，我都醉了。」「簡直是天籟！」「好像專業的演奏樂團哦！」曲畢，同學不約而同鼓掌叫好，有人還吹起口哨，舞菱更是狂聲大喊：「安可！偶像！安可！」

直到下課，見博仍意猶未盡的讚歎：「眞是『餘音繞梁，三日不絕』！」

「爲什麼要說三日？一整天就已經很誇張了。」奎發輕拋著棒球問。

「那是說，戰國時代，有一個很會唱歌的姑娘要到齊國去。她到達齊國城門時，發現糧食吃完了，旅費也花光了，於是就利用好歌喉在那個地方賣唱，以賺取食物和旅費。

她的歌聲十分的優美動人，有人聽了甚至被感動到流眼淚呢！所以，即使在她走了以後，那歌聲彷彿還繚繞在城門的梁柱間，三天都沒有斷絕，人們都感覺她好像不曾離開的樣子。後來我們就以『餘音繞梁』或『餘音繞梁，三日不絕』來形容歌聲或音樂的美妙感人，迴旋悠揚，令人回味無窮。像畢琪她們的演奏，到現在還縈繞在我的耳邊呢！而形容三天都不斷絕，也可以說是修辭法上的『誇飾』格。」

「繞三天才不誇張咧，我覺得剛剛的音樂可以繞教室三年！」一朗大聲表示。

「你真的沒救了，寶貝。」奎發歎氣道。「喂，小博士，不要光準備文的，大隊接力和馬拉松你也要練啊，放學後集訓哦。」

「今天我還要排練詩歌朗誦，腳本我已經寫好，全組要趕快練了。你說的項目不能排到明天放學以後嗎？」

「明天放學時間我們拔河隊要練習，奎發必須在！」一朗急著插話。

「還有，早上練棒球，中午是籃球！」

見博緊張的跳了起來。「撞期！完了，亂成一團了！那要把壁報討論的行程往後延，因爲詩歌朗誦是緊接在音樂演奏之後比的。那我到底要怎麼練馬拉松和大隊接力啊？還有我的作文，天啊，我跟辛晴約好……」

「冷靜！冷靜！」一朗制止見博再跳上跳下的，他看得頭很昏。

外號「沒關係」的體育老師梅老師突然出現，笑道：「沒關係！要亂中有序，再規劃一下吧，大家也好好想辦法避開時間的衝突……」

一朗笑看老師，但瞬間又呑呑口水，沒有說話，因爲「南施」林似玲來了。

「小博士，下午我們要正式練習朗誦了，你聽過我的聲音，是不是覺得像黃鶯出谷呢？」

見博從來沒有這麼強烈的希望，希望可以立刻去跑馬拉松。

餘音繞梁

【解鈴還須繫鈴人】《列子・湯問》

薛譚學謳於秦青，未窮青之技，自謂盡之；遂辭歸。秦青弗止；餞於郊衢，撫節悲歌，聲振林木，響遏行雲。薛譚乃謝求反，終身不敢言歸。秦青顧謂其友曰：「昔韓娥東之齊，匱糧，過雍門，鬻歌假食，既去而餘音繞梁欐，三日不絕，左右以其人弗去。過逆旅，逆旅人辱之。韓娥因曼聲哀哭，一里老幼悲愁，垂涕相對，三日不食。遽而追之。娥還，復爲曼聲長歌。一里老幼喜躍抃舞，弗能自禁，忘向之悲也。乃厚賂發之。故雍門之人至今善歌哭，放娥之遺聲。」

【打開天窗說亮話】形容歌聲或音樂的美妙餘音迴繞於屋梁間與耳邊，久久不散。或可用來形容人的話語意味深長。

【聞一知十頗類似】繞梁之音、餘音嫋嫋、繞梁三日、迴腸盪氣、響遏行雲

【舉一反三相作對】嘔啞嘲哳

12. 如火如荼

為什麼要像火那樣紅、像荼那樣白，紅白大對抗嗎？

光芒國小六年愛班爭取「十能少年獎」的計劃持續進行著。雖然偶有出爾反爾的例子，即認領了比賽又反悔的，或是圈選項目比重不均等，在執行小組曉以大義與靈活協調後，都順利解決了。

爲了不影響課業，「十能少年獎」的賽事都選在例假日舉行；又顧及到公平性，以及免去交通住宿費的負擔，所以規定一律按照班級所在地於北部、中部、南部、東部某租借的學校場地進行比賽。除了棒球、籃球、拔河、大隊接力四項採預、決賽制，其餘皆以一場比試定出成績，再依相同裁判小組的給分計算總成績的「積分」。如此一來，還可避免賽制繁複的疲累與學子的舟車勞頓。

而六愛的音樂演奏和詩歌朗誦如預期表現，都在昨天陸續賽完，就等四分區依名次統計過後的積分揭曉。

「我們的分數一定很高！」舞菱周日欣賞完音樂和詩歌比賽後，星期一便胸有成竹的向同學保證。「演奏超精采的！畢琪和辛晴是六年的好朋友，默契太棒了！而豪傑國中演奏的是莫札特的協奏曲，我跟你們講哦，辛皓還有單簧管獨奏，有夠帥！小晴，你堂哥居然也會樂器，我的天！」

幾個人看著舞菱發亮的眼睛、興奮的言行，覺得她根本「醉翁之意不在酒」。

「你眞的有替我們班加油嗎？」奎發問。

「當然有！你居然懷疑我的忠誠！星期六我不是也練了棒球和看了籃球練習嗎？還當你們的啦啦隊！呵呵，也順便練舞啦。啊，老師來了。」

這堂是國語課，黃老師春風滿面的。「嗯，看了大家這幾天的練習跟比賽，認眞得令人感動啊。氣勢如虹，進行得如火如荼呢。」

「是如火如『荼』，像火又像荼。」一朗再度搞怪。

老師聽了失笑。「如火如『荼』，『荼』是茅草開的白花。『如火如荼』

表面的意思是像火那樣紅、像荼那樣白。」

「爲什麼要說又紅又白？紅白大對抗嗎？」

「問得好，一朗，但不是你講的那樣哦。在春秋末期，吳王夫差不是打敗了越國等國嗎？他之後又出兵，打算一鼓作氣征服國力最強的晉國，然後晉升爲霸主。這時，越王勾踐帶領了軍隊趁機攻到吳國的國都，想切斷吳王的退路，以報亡國之恨。吳王夫差聽到這個消息，馬上召集大臣商量對策。大家認爲，應該儘快打敗晉國，爭取到霸主地位再回去收拾勾踐，還能鼓舞民心。

吳王同意了，決定出奇制勝。當晚，他下令士兵都吃得飽飽的，馬匹也餵足糧草，一切準備妥當。到了半夜，三萬精兵擺開方形陣勢，共有左軍、中軍、右軍。中軍士兵一律白衣、白盔甲，拿白旗，使用白羽毛裝飾的弓箭，遠遠望去就像開滿白花的茅草地；而左軍士兵一律紅衣、紅盔甲，持紅旗，使用紅羽毛裝飾的箭，遠遠望去好像燃燒著的火燄；右軍則一律黑衣、黑盔甲，拿黑旗，使用黑色羽毛裝飾的箭，遠遠望去又像一片烏黑的深海。

他們連夜出發，天剛亮時，已經接近晉營了，吳王親自擂起戰鼓，三軍

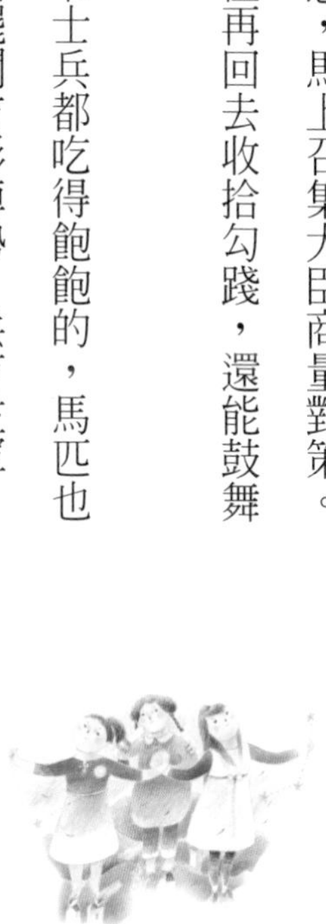

也跟著歡呼吶喊，聲音震天動地。這時晉軍才從睡夢中醒來，晉王也見識到吳國盛大的軍容，即：望之如荼、望之如火、望之如墨！於是嚇得趕快派人議和，並尊吳王爲霸主。」

「原來是這樣啊。」大家不禁點頭。

「所以，『如火如荼』就是從形容軍容的『望之如荼』、『望之如火』演變而來的，用來比喻軍容的盛大，後來也形容人事物的氣勢旺盛或氣氛熱烈、蓬勃，就像你們現在一樣。我要是你們的敵人啊，看了都害怕哦。」

小朋友們聽得笑逐顏開。一朗還站起來，激動的喊：「知道怕就好！我們是宇宙無敵超戰士——」再次讓大家笑彎了腰。

「很好，繼續保持這個氣勢。但也要記得，星期三的期中考必須考好哦。」

幾個男生都像被吳軍的箭射中一般，不約而同癱倒在座位上。

如火如荼

【解鈴還須繫鈴人】《國語・吳語》

吳王昏乃戒，令秣馬食士。夜中，乃令服兵擐甲，係馬舌，出火灶，陳士卒百人，以爲徹行百行。行頭皆官師，擁鐸拱稽，建肥胡，奉文犀之渠。十行一嬖大夫，建旌提鼓，挾經秉枹。十旌一將軍，載常建鼓，挾經秉枹。萬人以爲方陣，皆白裳、白旂、素甲、白羽之矰，望之如荼。王親秉鉞，載白旗以中陳而立。左軍亦如之，皆赤裳、赤旟、丹甲、朱羽之矰，望之如火。右軍亦如之，皆玄裳、玄旗、黑甲、烏羽之矰，望之如墨。爲帶甲三萬，以勢攻，雞鳴乃定。既陳，去晉軍一里。昧明，王乃秉枹，親就鳴鐘鼓、丁寧、錞于振鐸，勇怯盡應，三軍皆譁釦以振旅，其聲動天地。

【打開天窗說亮話】形容人事物的陣容浩大，氣勢旺盛。

【聞一知十頗類似】風起雲湧、方興未艾

【舉一反三相作對】七零八落、一敗塗地、一蹶不振

13. 懸梁刺股

你被刺了屁股，還坐得住嗎？

「期中評量考得怎樣啊？」老師一進教室就問。

「好爛——」全班大聲說。而就算明知自己成績應該不錯的人，還是會說「好爛」。

黃老師看看手上的單子，和藹的讚許大家：「除了準備考試，你們還要忙『十能』的比賽，其實很辛苦，但這次的成績並沒有退步，而且普遍都不錯哦，所以老師覺得大家很棒！尤其是小博士，他的國語、數學和自然都考滿分！」

全班的驚呼聲中，見博臉紅得低下頭。奎發立刻分享他所知道的：「小博士最近每天都讀到晚上十一點，然後一大早又起床繼續讀，連在練大隊接

力時也捧著書，都捨不得放下。還有，他午休時明明很想睡了，還是用力的撐開眼皮，好像那個懸什麼的、刺什麼的！」

「懸梁刺股！」見博脫口而出，忘了正在害羞中。

「答得好。呵呵。」老師藉機解釋：「這個成語其實是來自兩個故事。東漢有個叫孫敬的人，十分好學，常常閉門苦讀。他有個防止打瞌睡的方法很有名，就是用繩子的一頭懸綁在屋梁上，另一頭再繫著自己的髮髻，只要一打瞌睡，繩子就會拉扯到頭皮，那就會痛啊，而痛了人也醒了，醒了又可以繼續讀書了。」

「哇！他的頭髮一定很少，因爲都被扯掉了。」一朗說。

全班又哄堂大笑，老師也不例外。「可能吧，你很頑皮哦。另外，東周戰國時代的蘇秦，他到各國遊學去推動治國的理念，但多年後仍然一事無成，只好硬著頭皮回家。他自覺無臉見人，也意識到學識的不足，於是發憤圖強，埋頭苦讀。而每當深夜，已經讀到非常想睡時，他就用鐵錐刺自己的大腿，常刺到流血，這種痛感也幫忙驅走了睡意，使他振作精神，繼續研讀。最後，他終於學成，還做了六國的宰相，獲得極大的成就。

以上這兩種苦學精神，很受後人敬佩，於是引申出『懸梁刺股』或『懸頭刺股』的成語，用來形容人認眞念書、發憤求學的精神。這裡必須注意一下，『股』是大腿的意思，不是骨頭的『骨』哦。」

「哈！我還以爲是刺屁股的股咧！那裡肉比較多嘛！」奎發大笑。

「你被刺了屁股還坐得住嗎？」老師也笑了。「大家當然不必苦讀到那種地步，這個例子只是用來勉勵你們要用功讀書而已。」

「像我都是用洗臉來趕跑瞌睡蟲。」舞菱說。

「那你的臉皮一定很薄！」一朗又下評語了，惹得大家嘻嘻笑。

這時，似玲舉起手。「嗚公子都是抹綠油精在鼻子前，而我是只要想起辛皓和他，就會醒了。」

全班拍桌的拍桌，跺地的跺地，笑到受不了，只有大嗚鐵青著臉，不知該拿這個女生怎麼辦。

「好了，找到有用的方法就好了。」老師坐正，趕緊揮揮手上的單子，轉移話題：「這可不是期中考的成績單哦，是『十能』大賽的積分表呢。」

「什麼？」大多數人都嚇一跳，辛晴還掩起耳朵不敢聽。

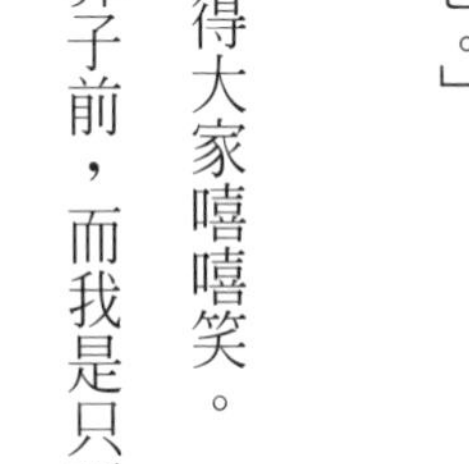

「全臺灣共有二十個班級參賽，山上國小也參加了哦，但班級人數不夠，破例以年級爲單位。記得，以後若碰到山上國小，也先不要講你們的計劃，免得他們壓力大。而在積分部分，得到第一名的有二十分，第二名十八分，第五名十三分，再依此類推；第十六到二十名，積分則只有一分。現在揭曉——恭喜你們，音樂演奏項目拿到十六分，詩歌十二分，太優秀了！」

全班聽了，歡聲雷動。一朗、奎發還跳起戰舞，之後丙隆和見博也起身加入。

「看你們的眼睛都亮了，很好，再接再厲哦！」

「老師，眼睛都亮了，那我們就不必『懸梁刺股』啦。」

懸梁刺股

【解鈴還須繫鈴人】「懸梁」：《尚友錄四》

嘗閉戶讀書，不堪其睡，乃以繩繫頭髻懸於梁上。

「刺股」：《戰國策・秦策》

蘇秦讀書欲睡，引錐自刺其股，血流至足。

【打開天窗說亮話】形容刻苦讀書、勤奮向學。

【聞一知十頗類似】孜孜不倦、焚膏繼晷、發憤忘食

【舉一反三相作對】玩歲愒時、飽食終日

永遠是朋友

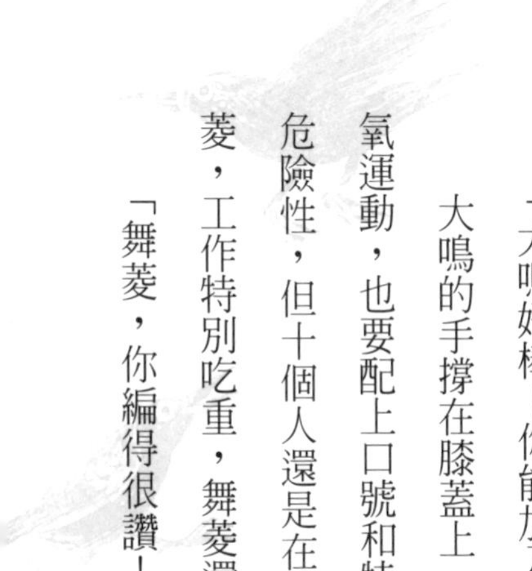

14. 近水樓臺

近水樓臺要幹嘛？生命寶貴，別跳下去啊！

中午練啦啦隊時，大鳴成功完成了一個很精采的跳躍動作，一朗、丙隆、似玲、舞菱和其他組員都給予熱烈的掌聲，連前來探班的辛晴和見博都高聲歡呼。

「大鳴好棒！你能加入眞是太重要了！」辛晴由衷表示。

大鳴的手撐在膝蓋上，氣喘噓噓的。啦啦隊是一種結合體操和舞蹈的有氧運動，也要配上口號和特技，雖然小學生的特技設計較爲簡單，且不能有危險性，但十個人還是在四月天跳得汗流浹背。尤其擔任要角的大鳴和舞菱，工作特別吃重，舞菱還要負責所有的編排設計與翻騰動作，更是辛苦。

「舞菱，你編得很讚！」辛晴又說。「大家都跳得很好！『金字塔』隊

形也非常穩，連另外兩個男生都不錯，嘿，我深深感覺我們有希望了！」

一朗和丙隆立刻驕傲的向群眾揮起手。

「能和鳴公子一起跳舞，眞是我的幸福。」似玲感性看著大鳴。「所謂『近水樓臺』，又是我的幸運啊。」

大鳴趕在偷笑聲出現前，制止她再講下去：「○四○同學，不要想太多，我只是替我們班爭取榮譽而已。」但他心裡想的卻是跟五五○的確有點「近水樓臺」，只不知是否能夠「先得月」。

丙隆拋著彩球，問：「『近水樓臺』要幹嘛？別跳下去啊。」

「不是啦，隆隆響。就范仲淹啊，寫『先天下之憂而憂，後天下之樂而樂』的那位。」大鳴邊複習剛剛練的手部動作邊說。「他是北宋的名臣及大文學家，一向能夠提拔好人才。在杭州當長官時，只要是有才幹的屬下，都能夠得到他的推薦而升官。但是，有一位巡官因爲長期在杭州所屬的外城工作，一直得不到范仲淹的注意，眼看著同事一個個得到升遷，就爲自己沒有機會更上層樓而悶悶不樂。

有一次，這位巡官因公回到杭州城，便寫了一首詩，乘機獻給范仲淹。

其中兩句是：『近水樓臺先得月，向陽花木早逢春。』意思是說，靠近水邊的樓臺亭閣可以先照到月光，或從水面見到月亮的倒影；而面向陽光的花草樹木，也因爲先受到春光的滋潤而早早發芽、欣欣向榮。

范仲淹讀了這首詩後，明白巡官借詩句來暗示他只看到身邊的人，卻忽略了不在眼前的人的用意，便進一步去了解巡官的爲人和能力。後來，果然推薦他擔任了更高、更合適的官職，繼續爲國家奉獻。所以，後人就常用這兩句話來比喻因爲接近某些人事物，而得到比別人還方便的機會。」

大家聽得津津有味，似玲接著問：「那就是說，因爲環境上的便利，我可以得到別人得不到的東西？」

「你誤會了，只是『有機會』，不是『一定能』。天啊，我要去洗把臉了。」大鳴飛也似的逃開，一夥兒人也笑著就地休息。

這時，一朗把見博拉到司令臺邊，低聲說：「你和辛晴在一起練習很多項目，有詩歌、作文等，你才眞的是『近水樓臺』！」

見博疑惑著。「眞的嗎？但，她的名字有『晴』，你的名字有『朗』，合在一起就是『晴朗』，我好羨慕你哦。哪像我，我們的名字念起來是『博

晴』，就像『薄情』！」

一朗歪了頭想想。「幹嘛不說『見晴』？這就很好聽啊！」

「對哦，我怎麼沒想到？『見晴』！」見博皺著眉反問自己，正開心時，指著前方又道：「哈，音樂比賽拿高分的功臣畢琪來了！」

兩人說著走向辛晴他們，才發現畢琪眼睛紅紅的，像哭過。

「怎麼了？小琪。」舞菱和辛晴同時關心問，辛晴早上就覺得她的表情怪怪的了。

「我……」畢琪支支吾吾。「我忍了幾天，不能不說了，我……我要轉學了！」

所有人張口結舌，一時都聽不懂似的僵住。

畢琪哽咽起來。「我……下星期……就要搬到高雄奶奶家了，必須在那邊讀書……」

辛晴的眼淚立刻掉了下來。

近水樓臺

【解鈴還須繫鈴人】宋・俞文豹《清夜錄・卷五十》

范文正公鎮錢塘，兵官皆被薦，獨巡檢蘇麟不見錄，乃獻詩云：「近水樓臺先得月，向陽花木易爲春。」公即薦之。（亦作「向陽花木早逢春」）

【打開天窗說亮話】形容因人事、環境或職務上的便利，容易優先得到機會或利益。

【聞一知十頗類似】樓臺近水、向陽花木

15. 天涯比鄰

反正大家還可以打電話、寫 e-mail 或即時 call，繼續做朋友。

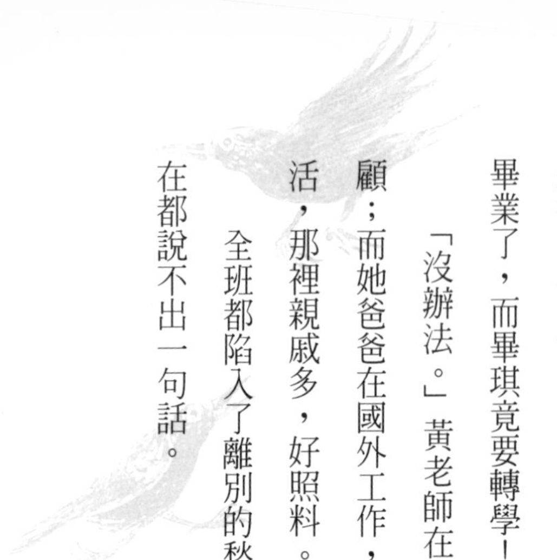

對畢琪即將轉學離開大家，辛晴始終難以置信。她和畢琪是小學同班了六年，喜好相近、苦樂與共的好朋友，在前陣子交「國中入學卡」時，兩人還很高興可能分發到同一所國中，說不定可以繼續同班呢。現在，小學都快畢業了，而畢琪竟要轉學！

「沒辦法。」黃老師在課堂上解釋。「小琪的媽媽生病了，需要長期照顧；而她爸爸在國外工作，暫時也走不開。所以她和媽媽要到高雄奶奶家生活，那裡親戚多，好照料。」

全班都陷入了離別的愁思之中，尤其是辛晴，任舞菱再怎麼安慰，到現在都說不出一句話。

「可是再一個半月就畢業了啊，難道不能讀完小學再走嗎？」一朗率先道出心聲。「她可以輪流住同學的家裡直到畢業，大家一定不會反對！」

老師在全班點頭如搗蒜中，又說：「你們有義氣，這很好，但忍心讓她跟媽媽分開嗎？何況她媽媽身體不好，她也要盡孝道啊！如果不是這種原因，你們以爲她會捨得離開嗎？畢琪曾經在作文裡寫著，她沒有兄弟姊妹，六年愛班的二十九位同學是她最親愛的異姓姊妹兄弟，她永遠都不會忘記……」

這時，舞菱突然趴在桌上，嚎啕大哭。她一直都在安慰辛晴和畢琪，現在終於宣洩了情緒，而情緒是會被引發和感染的，頃刻，女生們幾乎都流淚、啜泣了起來。辛晴忙去拍撫舞菱，畢琪也離開座位走了過來，三人便抱著哭在一起。

班上瀰漫著低沉的氣氛，連一向頑皮的男生都異常安靜。

「你們漸漸長大，總是要學習離別。」老師擦著眼淚，定定神。「離別是另一個開始，本來以爲六月的畢業典禮會是那個開始，現在提前了，大家也要學習適應與接受。初唐四傑之首的王勃，曾經在送他的好友去遠地上任

時，寫了一首流傳千古的送別詩，其中有兩句：『海內存知己，天涯若比鄰』，四海之內有你這位知己朋友，縱然我們距離遙遠，只要情誼夠深厚，也能像近鄰一般。也就是說，哪怕是天涯海角相隔，我們的情誼堅定，就能永遠是朋友，不會感到孤單。」

抽抽噎噎的哭泣聲漸小，奎發冷靜的說：「畢琪一定很爲難，我們就別讓她爲難了。」

「是啊。人生有很多不得已的時候，我們重情重義，就不要太在意離別了。」老師笑笑，又問大家：「知道『海內存知己，天涯若比鄰』的下兩句是什麼嗎？『無爲在歧路，兒女共霑巾。』意思是：那麼等一下到了應該分手的地方，我們可不要像少年男女般哭哭啼啼的哦。這詩就是要大家看開一點，灑脫一點。」

「對，不要哭了嘛，常聯絡就好了啊。」一朗站了起來。「打電話或寫 e-mail 或即時 call，都可以繼續做朋友啊，甚至暑假我們也可以去高雄找小琪。」說著，他看看辛晴。

「一朗講得很好。你們友情深厚，甚至相知相契，千山萬水也阻擋不了

你們的摯情。『天涯比鄰』嘛，何況現代交通和資訊這麼發達，天涯就像咫尺一般近，比古人好多了，他們可是連電話都沒有哦。記得，時空阻隔得了形體，阻隔不了你們的心意。所以，哭過就好了，別再傷心了，讓畢琪放心的去高雄，不要牽掛這麼多。」

一朗點頭。「就是啊，畢琪，你要好好照顧自己。」

「那辛晴和舞菱，我們一朗和大鳴會替你照顧的啦，寶貝。」奎發搗蛋接話。

「喂！」一朗搥了搥死黨，大家也破涕而笑。

老師看看畢琪，對她微笑頷首。畢琪也點點頭，拍拍兩個好友後，才怯怯的對全班說：「各位同學……今天是星期五，放學後就跟大家說再見了，而星期一，我就會在高雄了。我會記得大家的……。還有，我只參加了兩項『十能少年獎』競賽就要離開了，呃，你們……你們還是會繼續吧？是做好事嘛……」

「沒問題！」大鳴突然喊，胸有成竹的。大家又驚訝又感動的轉頭看他，他接著再說：「誰叫我們是你的姊妹兄弟！」

天涯比鄰

【解鈴還須繫鈴人】 王勃〈杜少府之任蜀州詩〉

城闕輔三秦，風煙望五津。
與君離別意，同時宦遊人。
海內存知己，天涯若比鄰。
無為在岐路，兒女共霑巾。

【打開天窗說亮話】 形容知己間縱然相距遙遠，只要情誼堅定，也如近鄰一般，不感孤單。

【聞一知十頗類似】 天涯知己、天涯咫尺

【舉一反三相作對】 咫尺天涯、咫尺萬里

16. 塞翁失馬

看開一點，福和禍，一時之間是說不準的。

能和「十能少年」比賽一起如火如荼進行的，要算是畢業生最愛的紀念留言簽名行動了。尤其畢琪即將離開大家，她的手稿和簽字頓時炙手可熱，一直簽到放學仍欲罷不能。辛晴與舞菱跟父母報備了，晚上要去畢琪家吃飯、過夜，把握莫逆之交間僅剩的相處時光。

放學後的啦啦隊練習，沒有了舞菱，幾個人顯得意興闌珊，提不起勁。而辛晴不在，見博和另外三位同學草草商討了集體寫作的注意事項，便一個人在操場上百無聊賴的跑起步來。兩個加入棒球隊的女生，也因舞菱沒一起做揮棒特訓而天南地北聊著。

「後天就要比三項預賽了，大隊接力的傳棒問題一定要解決！棒球守備

也要加強！還有籃球的罰球要練啊！」一朗看不下去，要大鳴幫忙盯著大家。

「辛晴和舞菱沒來，怎麼傳棒子？」丙隆踢著石頭說。「而啦啦隊沒有舞菱，又要怎麼做『拋投』動作？還有，她的球棒到現在都還沒擊中過球耶！」

一朗搖頭歎氣，不敢相信少了兩個女生就差這麼多。

「沒關係」老師——體育老師來了，他笑笑對一朗指示著：「我聽說你們班的事了。沒關係，大家稍微補強缺點，就早點回家休息，明天週六再來好好練吧。」

「可是明天那兩個女生也不一定會來。」大鳴表示。「她們正在悲傷。」

「沒關係，『塞翁失馬，焉知非福』。」

不明白老師何出此言，幾個人便呆愣著可愛的小腦袋。

見學生大惑不解的樣子，梅老師笑說：「這個成語不是在說暫時遭受損失，卻因禍得福嗎？古代邊塞附近有個善於養馬的老人，他和兒子以牧馬爲生。有一天，他的馬突然跑到胡地去了，鄰居都來安慰他，老人卻不在意的

表示：『沒什麼好難過的，這不一定是壞事，說不定會帶來什麼好運呢。』果然，幾個月後，跑掉的那匹馬竟然帶著另一匹好馬回來了。鄰人又紛紛向他道賀，老人卻又說不必太高興，怎知不會帶來災難呢？過了幾天，老翁的兒子在騎馬時摔斷了腿，鄰居又來表示同情，但他也沒有特別傷心，反而說：『誰知道這不是我們的福氣呢？』後來胡人入侵，邊境戰事緊張，當地年輕人都被徵召入伍作戰，只有他的兒子因爲腿瘸了，不能上戰場，便免於戰死而保全了生命。後來大家就把這故事的要點濃縮爲『塞翁失馬，焉知非福』或『塞翁失馬』，用來比喻因禍得福，或是要世人不必太計較得與失、禍與福。」

「老師的意思是，沒有畢琪、辛晴和舞菱，我們反而會有好運發生？」丙隆仰著頭，不是很確定的問。

「當然不是這樣解讀。」老師大笑一聲。「只是要你們看開一點，福和禍，一時之間是說不準的。你現在感覺好像少了三個人，但讓她們知己在分別前好好聚一聚，安一下心，很可能明天練習時就來了，也比較不會因心情低落而影響大家。更何況，她們也許會爲了好朋友而更加努力，這也難講，

不是嗎？」

大家茅塞頓開，頻頻點頭稱是。心裡都希望如梅老師所言，能夠很快轉禍爲福。

隔天，星期六中午，同學們在操場上分別練習棒球、籃球和大隊接力時，舞菱、辛晴兩人連袂出現了，引得大家歡聲雷動。

「奎發！幫我做特訓！」舞菱喊。「我到現在都是被三振，棒子還沒有擊中過球，更別說打安打了。還有，想辦法讓我跑快一點，接力我是第八棒耶！」

辛晴也說：「我跑第六棒，但是我很不擅長加速衝刺，快教我！」

舞菱這時舉起手臂，精神百倍的高呼：「爲畢琪而戰——」

「爲畢琪而戰——」辛晴跟著喊，然後同學也都一起喊。

一朗舉起手臂的同時，和大鳴交換了眼神，他們都在想：這「沒關係」老師，實在也太神了……

塞翁失馬

【解鈴還須繫鈴人】《淮南子・人間》

近塞上之人，有善術者，馬無故亡而入胡，人皆弔之。其父曰：「此何遽不爲福乎？」居數月，其馬將胡駿馬而歸，人皆賀之。其父曰：「此何遽不能爲禍乎？」家富良馬，其子好騎，墮而折其髀，人皆弔之。其父曰：「此何遽不爲福乎？」居一年，胡人大入塞，丁壯者引弦而戰，近塞之人，死者十九，此獨以跛之故，父子相保。故福之爲禍，禍之爲福，化不可極，深不可測也。

【打開天窗說亮話】比喻因禍得福，或禍福常相互轉，不要以一時狀況論定。

【聞一知十頗類似】因禍得福

【舉一反三相作對】樂極生悲

17. 千里鵝毛

你餓昏了嗎？那明明是香包，不是鵝毛。

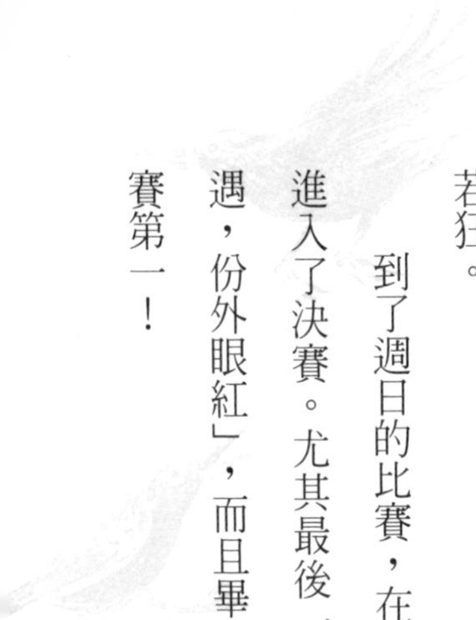

週六，辛晴、舞菱和同學一起練習後，晚上又去看畢媽媽，順便幫畢琪打包要搬到高雄的東西。

那天雖然遇上信班也在練習，更有了搶場地的小爭執，但最後還是各退一步，練習的狀況算不錯，舞菱還因爲接了一個「內野高飛必死球」而欣喜若狂。

到了週日的比賽，在眾志成城的信心下，他們無不卯足了勁，終於全都進入了決賽。尤其最後一場，那是信班也在其中的大隊接力賽，「仇人相遇，份外眼紅」，而且畢琪現身加油，使愛班的氣氛漲到最高點，竟拿下預賽第一！

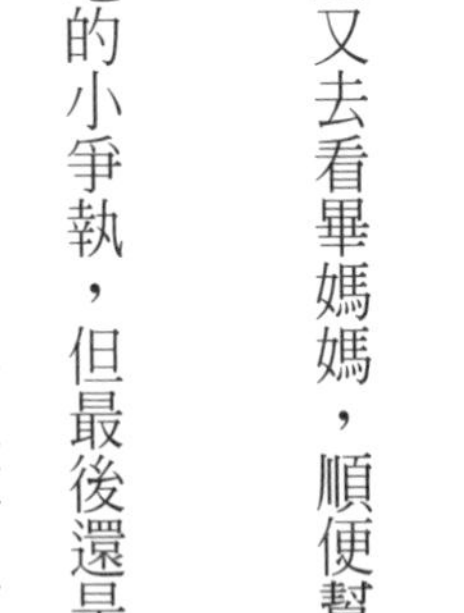

「太不可思議了！」黃老師高興得盈著淚和大家抱在一起，「沒關係」老師也故作揮淚、感動狀，讓大家都笑開懷。

然後三個好友又一起回到畢琪家，繼續打包、聊天，直到晚上八點半，才依依不捨的互相擁抱，道了珍重再見。

週一到了學校，棒球、籃球、大隊接力全進入決賽或準決賽的事，更爲大家所津津樂道，接連談論了好些天。

「可是壁報比賽沒了畢琪，應該很慘！」午休時，和一朗、奎發、大鳴玩著「遊戲王」卡的見博皺眉說。

「你還眞是『先天下之憂而憂』啊。」大鳴出了一張牌。

「對嘛！別想那麼多，『時到時擔當，沒米再煮番薯湯』。」一朗說著臺語俗諺：船到橋頭自然直。

「盡力就好，寶貝，沒關係。」奎發學著體育老師說：「沒關係——」

四人都哈哈大笑。一朗提醒大家，今天下午練拔河時，最有利的站位一定要抓出來，還有節奏也很重要。說著，辛晴和舞菱走來，給了他們一人一樣東西。「畢琪寄給我們這幾個人的，她親手做的哦。」

打開一看，是小巧玲瓏的香包！還有祝福端午節快樂的紙條。

「她的手真巧。」一朗搖頭笑，又對見博說：「我看你說得對，你們的壁報製作是要加油了。」

見博沒有理會，逕自把玩手上的精緻可愛，笑歎：「真是『千里鵝毛』啊。」

奎發和一朗對望一下，說：「你餓昏了嗎？那明明是香包。」

其他四人都笑彎了腰，見博才解釋道：「哎，『千里鵝毛』是指情深義重的小東西啦。」

「小東西就小東西，幹嘛說鵝毛？我就不信你會送人家鵝毛。」一朗覺得臉上無光，駁斥著。

「大榔頭，我爸講過這個故事，我知道。」辛晴對一朗說：「相傳在盛唐時，雲南大理國要進貢一隻珍貴的白天鵝給唐朝以示友善。而護送天鵝的使者叫緬伯高，他十分細心的照料天鵝。有一天經過湖邊，他想讓天鵝喝水，順便幫牠洗一下羽毛，結果不小心讓天鵝飛走了。驚慌中，只抓下一根鵝毛。

緬伯高心想完了，但又不能這樣逃回國去，只好將那僅剩的鵝毛用綢緞包起來，再加寫一首詩獻上：『天鵝貢唐朝，山高路遠遙。沔陽湖失去，倒地哭號啕。上奏唐天子，可饒緬伯高？禮輕人意重，千里送鵝毛。』唐太宗看了這首詩，又聽他訴說原委，不但原諒他，還叫人備酒款待，並回送他中原的特產。從那以後，『千里送鵝毛，禮輕情意重』就流傳開來了。就是在說千里之外來的禮物，雖然價值不高，但因真誠而情意深重。」

「還有，」見博補充道：「有一次歐陽修收到詩人朋友梅堯臣送來一包家鄉產的、剛採下的銀杏，便寫了一首詩答謝他對這份情誼的重視。詩中就用千里迢迢送來一根鵝毛做比喻，表示長得像鴨腳的銀杏果實，雖不是什麼貴重東西，但重要的是朋友的深情厚意。」

「嗯，我瞭了。」一朗點頭，看看大鳴。「所以我們也要答謝畢琪對這份情誼的重視。她千里送『香包』，那我們要千里送什麼呢？鳴公子。」

大鳴接著拿出一個大東西，遞給舞菱。舞菱將它打開，辛晴也湊過來看。那是一張寫滿文字和簽名的大卡片，只有中間大大的心形是空白的。

「全班都簽好了，老師也是，只剩你倆還沒簽。」大鳴酷酷的表示。「空

白的心是預留給你們的，請填滿。」

見博又補充：「星期六練習時，鳴公子就帶那張卡片來了，他讓同學、老師輪流簽寫，直到今天才完成到只剩下你們。」

兩個女生感動極了，舞菱更是忍不住擁抱了大鳴，讓他在「啊喲——」的如雷聲中，面紅耳赤。

千里鵝毛

【解鈴還須繫鈴人】 宋．歐陽修〈梅聖俞寄銀杏〉詩

鵝毛贈千里，所重以其人。鴨腳雖百個，得之誠可珍。問予得之誰，詩老遠且貧。霜野摘林實，京師寄時新。封包雖甚微，採掇皆躬親。物賤以人貴，人賢棄而淪。開緘重嗟惜，詩以報殷勤。

【打開天窗說亮話】 比喻從遠方來的禮物，雖然只是小東西，情意卻很深厚。

【聞一知十頗類似】 千里送鵝毛、萬里鵝毛、禮輕意重

18. 勢如破竹

乘勝追擊，拔掉那兩顆討人厭的大蘿蔔！

敏宜遞補接下壁報組組長後，便拉著組員惡補美勞相關常識與技巧，然後準備主辦單位規定的用具。

描繪技巧與創意設計佔了極重的分數比例，而主題也要比賽當天才宣布，這讓舞菱等人頭痛萬分，本來是抱著取巧心理投靠畢琪的，這下五個人都得先自立自強，然後加緊合作了。

舞菱想，這週先比的是拔河，也得緊鑼密鼓練習；還有啦啦隊，沒有她就很難跳。她真想問問一朗、奎發是如何打籃球、打棒球、大隊接力、拔河又跳舞兼跑步的。但其實很多人都參加了五項，辛晴、丙隆、似玲和見博都是，那麼自己一定也行的！

「好，我行的，來吧。」舞菱抓緊粗麻繩，告訴自己腳步要蹲穩，然後對後方拉著繩等待哨音的辛晴眨了眨眼。

這是星期六的八人制拔河比賽現場（規定四男四女，再多兩名替換選手），因爲是預、決賽同一天比完，所以今天就能分出勝負。成績是由臺灣四分區的獲勝組以擊敗隊手的秒數來評定名次，再換算成積分。

「一、二、三、殺！一、二、三、殺！」大家使勁，拚命的拉繩子。加油聲也此起彼落，使會場氣氛熱絡無比。

「蹲低一點！往後……用力……」體育老師也在旁提示著戰術。

「耶！」裁判舉旗的同時，加油的啦啦隊高聲歡呼。

光芒的六愛贏了第一場！大家從地上爬起來後，又叫又跳的，好不開心。之後換邊，又贏了。就這麼接連賽了兩場，淘汰兩所學校，直接「拔」進了決賽。

「我不知道你們這麼會拔河耶！」休息時間，梅老師對十位同學讚不絕口。「節奏和站位都抓得很好！肌耐力不錯，水平也維持得很棒！」

眾人也很意外，連大鳴都忽然覺得自己是力拔山河的大力士。

黃老師也帶著小孩來，替學生和丈夫——梅老師——加油，還悉心替丈夫擦汗，惹來一朗嘟囔：「流汗的是我們耶，黃老師！」以及同學「啊喲，鶼鰈情深哦——」的叫鬧聲。

三十分鐘後，大家精神抖擻的準備繼續摧枯拉朽，雖然複賽隊伍精銳盡出，但大夥兒還是深具信心。果然，他們再下一城，竟一路開拔到冠軍賽！實在太令人驚訝了！雖然很開心，但老實說，這時都已疲累不已了，可是……

對手居然是同校的信班！

看著陳慶築和張又豪鄙夷的表情，大家瞬間又燃起了鬥志。

梅老師先對學生來個心理教育：「新式拔河靠的不只是體能，還有團隊默契和技巧，這點你們不會輸人的。記得守多於攻的戰術，還要注意穩定度。」一朗隨即拍拍手，集合組員肩搭著肩，低聲說：「來，我們拔掉那兩顆大蘿蔔，Go!」

在雙方啦啦隊高昂的加油聲中，十六個人展開了一場龍爭虎鬥。透過拔河繩的牽引，愛班在拉鋸戰中，屢次眼看都快被拉走了，但每位成員的心緊

密結合在一起，以堅強的毅力與維持水平拉力奮勇挺住，最後居然逆轉，獲得勝利！

加油聲、尖叫聲震天價響，大家隨即擁抱在一起，享受合作的喜悅，以及喜悅的哭泣……

「太精采了！你們簡直是『勢如破竹』！」隔天，黃老師仍覺回味無窮。

儘管隊員現在四肢痠痛，同學的嗓子也啞了，還是興奮莫名。

老師接著又說：「三國末年，晉朝的大將杜預率軍攻打東吳，成功奪下許多城池，這時朝廷百官覺得吳國不是那麼容易就能消滅的，怕夏天來了，長江水勢暴漲、氾濫成災，疫病容易流行，在在都不利晉軍，便建議冬天再大舉進攻。只有杜預獨排眾議，認爲我軍氣勢正旺，如果繼續伐吳，就像用刀劈開竹子一樣簡單，應該要乘勝追擊。晉武帝同意，後來晉軍繼續攻吳，果然節節勝利，不到冬天就消滅吳國、統一天下了。

『勢如破竹』的成語就是從這裡演變而來的，用來比喻戰士團隊努力、鬥志旺盛，因而作戰順利，所有阻礙都迎刃而解。像不像你們昨天的樣子

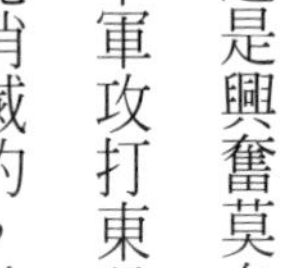

呢？知道嗎？你們得到二十分高分呢！」

全班幾乎都尖叫的跳了起來，大家對愛班竟然奇蹟式的拿了拔河全區冠軍，實在感到又驚又喜！

一朗還舉手宣誓般，痛快的喊：「宇宙無敵超戰士們，繼續乘勝追擊、勢如破竹——」

勢如破竹

【解鈴還須繫鈴人】《晉書．卷三四．杜預列傳》

時眾軍會議，或曰：「百年之寇，未可盡克。今向暑，水潦方降，疾疫將起，宜俟來冬，更為大舉。」預曰：「昔樂毅藉濟西一戰以并強齊，今兵威已振，譬如破竹，數節之後，皆迎刃而解，無復著手處也。」遂指授群帥，徑造秣陵。所過城邑，莫不束手。議者乃以書謝

之。

【打開天窗說亮話】比喻工作或戰鬥順利進行，節節勝利，毫無阻礙。

【聞一知十頗類似】銳不可當、所向無敵

【舉一反三相作對】節節敗退

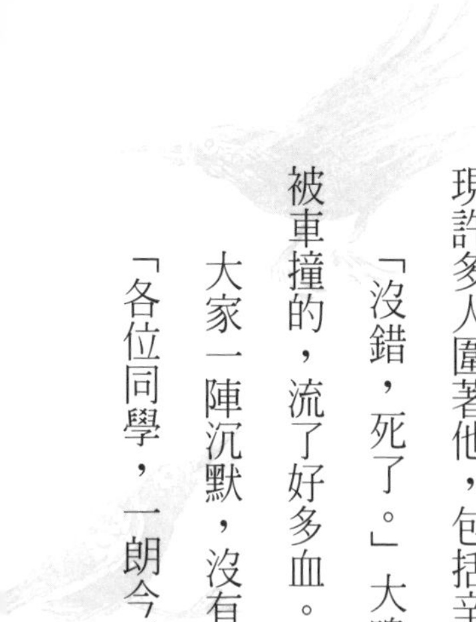

19. 節哀順變

只要是我喜歡的，最後都會消失，反正……我已經習慣了。

「你聽說了嗎？『玩具』死了！」

「你是說一朗的狗嗎？怎麼會？那他怎麼辦？他好愛『玩具』耶。」

週三早上，正專心唸著英文課本「Where were you last night?」的大鳴聽見同學議論紛紛，趕緊望向一朗的座位，見沒人，又往奎發的方向找，才發現許多人圍著他，包括辛晴和舞菱。

「沒錯，死了。」大鳴過去時，奎發正說。「昨天放學後爺爺說的，是被車撞的，流了好多血。一朗好難過，哭了好久。」

大家一陣沉默，沒有說話，直到老師進教室，才紛紛回到座位上。

「各位同學，一朗今天請假。你們應該都聽說了，他的小狗玩具昨天發

生車禍，不幸去世了。」

「老師。」奎發表示：「一朗很悲傷，吃不下、睡不著，怎麼辦？」

「人生是無常的，除了小心防範，遇到這種狀況，也只能勸他看開一點了。現在讓他冷靜一下，你們放學後去看看他，安慰安慰他。」

全班窸窸窣窣討論著，這時大鳴發問：「老師，安慰人的時候要說什麼？」

見大家點頭，似乎都有相同的疑問，老師便說：「慰問朋友，其實只要說些讓他安心的話就好，甚至不必說什麼，陪著他也可以。而若在社交禮儀上，遇到人家有例如喪事等變故，可以對死者家屬說：『請節哀順變。』就是請他不要過度哀傷，順著已經發生的事實，改變一下生活方式或習慣吧。『玩具』就像一朗的家人，如今少了牠，一朗一定非常不習慣，會非常思念與不捨，你們好朋友就陪陪他，或幫忙處理生活上的事，然後請他振作、早日回到常軌來吧。」

聽了老師的話後，捱到黃昏，十幾位同學一起出現在「朗飛商店」中。

爺爺說一朗的父親去世沒多久，一朗便撿到流浪小小狗「玩具」，情感幾乎

都轉移到牠身上；「玩具」也忠心的陪伴他，直到昨日。

一朗已經面對牆壁躺一天了，不吃不喝也不動，連頑皮的一飛都不敢吵他。同學看了很不忍，因爲與平時的他實在是天差地別。

到了房間，大鳴率先上前，說：「一朗，節哀順變啊。」

「朗哥。」見博搖搖他的肩：「你轉過來啊，讓我們看看你。」

奎發也去搖他，有點哽咽：「喂，兄弟，你還有我啊，我永遠是你兄弟啊……」

一朗始終無動於衷，許多人見狀都不禁流淚，舞菱、辛晴等女生還偷偷啜泣。

「你們走吧。」稍後，一朗的肩膀微微顫抖著。「只要是……我喜歡的，最後都會消失，反正……我已經習慣了。」

大家明白他指的還有爸爸和媽媽，以及更早之前的祖母，聽了不由得心酸。

「別這樣說！」奎發吸吸鼻子，又道：「我怎麼會消失呢？我不是一直都在嗎？」

眾人都要他別這麼想。突然，辛晴的『玩具』現在在哪裡？」劃破安慰聲，讓大家一時都愣住了。

「還在獸醫院的冰庫裡。」一飛代爲回答。「哥本來要抱回來，但爺爺堅持讓醫院處理。」

「哦。」辛晴輕拭淚水，然後靠近一朗。「吶，大榔頭，難道你不想讓大家送送『玩具』嗎？我們幫牠辦個葬禮，『透透』也來，好不好？」

一朗終於轉過身來，眼眶濕濕的看著辛晴。

隔天，一朗上學了，但心情仍然低落，陽光與笑臉都不復見。此時又傳來令人沮喪的消息：壁報比賽得到第十九名，拿了超低分：一分。果然少了畢琪是差很多的，但世事就是這樣，哪能盡如人意？

要是以前，一朗一定會說：「第十六名到二十名都算一分，那我們賺到了！」但現在他愁容滿面，偏偏學校又準備舉辦總是觸他心傷的各項母親節慶祝活動；而吳老師在自然生活科技課上正好放映影片，片名是：「不願面對的眞相」，雖然講的是地球暖化問題，但一朗簡直是黯然神傷到極點了！

「那麼就否極泰來了。」辛晴很懂似的，坐到他旁邊。「你要振作，別

讓大家擔心。同學、老師、爺爺、一飛，還有我，都希望那個樂觀開朗、精力充沛，射籃百發百中的一朗，趕快回來。」

一朗望著辛晴，心中滿是感動，但仍啞口無語。只有在她問：「『玩具』的事準備好了嗎？」時點頭，然後，微微一笑。

節哀順變

【解鈴還須繫鈴人】《禮記・檀弓下》

喪禮，哀戚之至也；節哀，順變也，君子念始之者也。

【打開天窗說亮話】弔唁、慰問之詞，意為抑制悲痛，順應所發生的變故，接受事實。

【聞一知十頗類似】人生無常、順應天理、生死有命

【舉一反三相作對】哀痛逾恆

20. 百步穿楊

穿什麼洋？太平洋嗎？

「我們的夥伴狗狗『玩具』，在人間歲月四年整，和許一朗苦樂與共，情同家人。今日的離開，並非死去，而是超脫。希望魂魄安於生命公園，來世再與許一朗結成至親，此情不渝。」

見博朗誦完親自撰寫的〈給玩具的話〉，便將手上的茉莉花丟在土上，說：「『玩具』，再見。」大家也依序照做，然後站到一旁，等待一朗對愛犬最終的告別。辛晴的貓咪透透在籠裡「喵」了一聲，彷彿也在送行。

這裡是星期六早上富德公墓的寵物生命紀念公園：「祕密花園」。稍早，「玩具」已被火化，骨灰就灑葬在欣欣向榮的花圃上。幾個同學被辛爸爸的九人座大車載上山來，爺爺走不開，但摘了今年早開的數朵茉莉讓一朗

帶上，哽咽的說：「玩具最喜歡聞茉莉的香味了……」

一朗喃喃一陣子後，紅著眼睛，去到同學身邊。

「這裡有很多寵物朋友陪牠，有貓有狗，不會寂寞的。」奎發拍拍他。

透透又「喵」了一聲。辛晴問一朗：「ＯＫ了嗎？」見他點頭，辛晴又說：「我爸載我們去吃中飯，然後，玩具最喜歡跟你一起玩籃球了，今天跟明天，你就好好秀給牠看吧！」

「對！發揮你百步穿楊的功力吧！」見博瞇起眼睛，做出射箭的樣子。

「穿洋？」奎發拍著籃球，問。「穿什麼洋？太平洋？」

「是楊柳的楊啦！」見博邊走邊說。「故事有點長，但其中一段是說古代有位名射手叫養由基，有一天，他接受另一個也擅長射箭，名叫潘虎的人挑戰，高手過招，引來許多人圍觀。他們在五十步外撐起一塊板子當靶，板上畫了紅心。潘虎拉開強弓，一連三箭都正中紅心，圍觀的人大聲叫好。

輪到養由基了，想不到他嫌太簡單，要求射百步外（約六十公尺）的柳葉。他叫人在樹上選一片葉子，塗上紅漆作靶，接著拉開弓，箭矢馬上貫透那片楊柳葉的紅心！在場的人都嚇呆了，潘虎不信，養由基又任他自由選擇

三片楊柳葉，並在上面用顏色編號，再讓養由基依編號來射。結果，三箭仍然貫穿楊柳葉中心！這時喝采聲如雷般響，潘虎也口服心服了。」

「這麼厲害！六十公尺耶！樹上的葉子也不見得會定住不動讓他射啊！」奎發相當訝異。

「對啊，他就這麼行！所以叫『百步穿楊』。」大鳴接著說。「這成語就是出自這個故事，還有『百發百中』，都是用來形容『很準』、本領很高超的，見博才要一朗發揮他有目共睹的『百步穿楊』功力啊。而且我相信一朗一定行，尤其下午準決賽可能會碰上信班的，一朗，你……」

「我會打敗他們的。」一朗接得簡短有力。心想：玩具，你會看著我吧？

兩個鐘頭後，愛班的籃球鬥牛隊在三十幾位同學和家長加油下，闖入了分區冠軍賽。現在只要贏了信班，明天就有爭奪全區冠軍的機會！

「喂，叫一朗的不是應該去打棒球嗎（指日本旅美職棒球星鈴木一朗）？打什麼籃球啊。」穿著球衣的陳慶築走來對一朗挑釁著。「你還比我矮這麼多，人家會說我欺負你耶。」

信班的隊員全都大笑。辛晴和奎發等人都要一朗別理他，舞菱則開口對慶築冷冷嘲諷：「這麼會耍嘴皮，不知道球技有沒有這麼厲害？」

慶築當場愣住，他們的隊員還是笑，他敲了他們後，才訕訕離開。辛晴偷偷笑了，還跟舞菱擊了掌。

一朗果然是神射手，幾乎彈無虛發，而且遠投近切，如入無人之境，把已經一六八公分高的陳慶築耍得氣喘噓噓、徒呼負負。

「只要再進一球……」一朗心想。啦啦隊的加油聲不絕於耳，此時喘著氣的慶築突然一句：「被時速七十公里的速度撞到應該很痛吧？」使一朗投籃的手有了偏差，球彈出框；陳慶築藉機抓到籃板球，隨即運球，刷網，得分。

一朗雖然充滿疑惑，但想到玩具正興奮搖著尾巴看他，還是決定先專心贏得比賽。接著，他接到奎發的妙傳，連過兩人來到籃下，上籃時先在空中挺腰，閃過陳慶築咬牙切齒的「火鍋」陣仗，然後左手拉弓、用力打板、得分！

如雷貫耳的歡叫聲隨之而起，愛班同學無比開心！

一朗在大家簇擁下，盈著淚，微笑將一個飛吻送上天，哽咽說道：

給親愛的玩具……

百步穿楊

【解鈴還須繫鈴人】《戰國策．西周策》

蘇厲謂周君曰：「敗韓、魏，殺犀武，攻趙，取藺、離石、祁者，皆白起。是攻用兵，又有天命也。今攻梁，梁必破，破則周危，君不若止之。」謂白起曰：「楚有養由基者，善射；去柳葉者百步而射之，百發百中，左右皆曰善。有一人過曰：『善射，可教射也矣。』養由基曰：『人皆（曰）善，子乃曰可教射，子何不代我射之也？』客曰：『我不能教子支左屈右。夫射柳葉者，百發百中，而不已善息，少焉氣力倦，弓撥矢鉤，一發

不中，前功盡矣。』今公破韓、魏，殺犀武，而北攻趙，取藺、離石、祁者，公也。公之功甚多。今公又以秦兵出塞，過兩周，踐韓而以攻梁，一攻而不得，前功盡滅，公不若稱病不出也。」

【打開天窗說亮話】比喻射箭技巧精準高超，並可引申體育或活動競賽時本領高強。

【聞一知十頗類似】百發百中、彈無虛發

【舉一反三相作對】漫無目標、無的放矢

21. 水落石出

被時速七十公里的速度撞到，應該很痛吧？

儘管爺爺、弟弟都來加油，星期天的全區籃球冠軍賽還是輸了。但一朗心服口服，因爲對手是遠從花蓮來的山上國小。

這是愛班第一次和他們打照面，而人家的籃球隊員個個都是厲害角色，都有野兔一般的身手。

「沒關係」老師自然是一直強調「沒關係」，積分已經拿很高了，算是第二名，有十八分呢！而回到班上，黃老師也說盡了力就好，記得曾有「代表作」也很重要。

一朗心想，這兩位眞是天作之合。他看看辛晴，發現她手上拿著去年十二月的畢業旅行照片，一定是在想念畢琪吧！他再把注意力轉回課本上，聽

到老師正在說「水落石出」這個成語。

「歐陽修本來只是描寫在醉翁亭看到的風景變化，說春天野花萌芽，散發出陣陣幽香；夏季則綠樹繁茂，高聳成蔭；秋季裡風霜蕭瑟，高雅而潔瑩；冬季則水枯，水位降低，底部的石頭都露出來了。這就是山中四季的變化，使人遊賞得樂趣無窮。各位同學，成語『水落石出』就來自這篇遊記，本是寫景，但後來也用於比喻事情經過澄清與調查之後，疑團一一解開，終於眞相大白。」

一朗如同被敲了一記般，下課鐘也剛好響了。他總算推敲出前天陳慶築說的「被時速七十公里的速度撞到應該很痛吧」是什麼意思了。他突地站了起來，把全班嚇了一大跳。

「做什麼？一朗？」老師稍事鎭定，問他。

「我有件事非查個水落石出不可！」

「馬上就能造句啦？不錯哦，但能不能把句子拉長一點、讓它更有深度？」

「那天『玩具』死於車禍，我一直感到懷疑，現在有了蛛絲馬跡，非把

事情查個水落石出不可！」

全班「嘩」了一聲，一直以爲一朗在做造句練習的黃老師，也驚訝的望著他。一朗便把陳慶築的那句話講了出來。

「一定跟他有關！」聽完後，奎發義憤填膺。

「嗯，『時速七十公里的速度』……」老師思考著：「那的確是汽車行駛的速度，不可能是人。但在市區，一般五十公里就很快了……，但慶築不可能會開車……。一朗，你不要輕舉妄動，還是先弄清楚比較——」

話還沒聽完，一朗便往教室外衝去，奎發也立刻彈了起來，緊緊跟著他。老師眼看呼喚也沒有用，只好隨著同學快速移動到信班去。

但他們已經滾成一團了，老師抵達時，一朗正把慶築壓在地上，掐著他的脖子興師問罪：「是不是你撞死『玩具』的？你給我老實說！」

黃老師和信班的莊老師一起拉開了兩人，一朗的眼睛裡盡是燎原紅火。

「不要打架！」莊老師訓斥著，臉上的鬍鬚跳動。「怎麼回事？陳慶築，爲什麼許一朗說你撞死他的狗？」

陳慶築摸著脖子，怒氣沖沖回答：「我沒有！他的狗死了關我什麼事

啊？我只是看見那隻狗被汽車撞到而已。」

「對啊，是牠自己撞上去的。」張又豪接口道：「阿威阿福只是追牠而已。」

全部的人都吃了一驚，而慶築竟是責怪又豪多嘴的表情。

一朗上了火般，大聲斥喝：「一定是你叫牠們追的！我家玩具只是小小的吉娃娃體型，而你們威福是兩隻大狼狗！一定是你！你是故意的——」

看見連莊老師都瞪視他，還在地上的慶築，戾氣少了一大半。「眞的是意外……，威福只是想跟牠玩……」

「你在狡辯！」

「一朗！冷靜。」黃老師說話了。「慶築，我問你，就算眞的是意外，那在現場的你，第一時間有求救或打一一九嗎？」

陳慶築支吾其詞：「我……我叫又豪去跟一朗的爺爺講……」

「我有說我不要啊，我叫你自己去講啊！」又豪著急的對黃老師解釋。「然後我就走了。」

「你們怎麼能這樣？」莊老師非常氣憤。「那是生命啊！如果換做是你

們的家人呢？路人也對你們受傷的家人視若無睹，你是不是也無所謂？」

現場頓時鴉雀無聲。「好，事情算是水落石出了。」黃老師對莊老師點點頭，便拉著一朗移動腳步。一朗不肯，奎發和見博就到他背後推著。

「一朗！總之，是意外和不應該的忽視造成的，但玩具不會活過來了，你要接受。聽老師的話，把牠的死放下吧，不然你永遠都不會快樂，而玩具絕對不希望看見你這樣。」

「我會在棒球場上替你報仇的。」奎發隨即低聲對一朗說，大鳴也跟著輕喊：「沒錯。」

水落石出

【解鈴還須繫鈴人】宋・歐陽修〈醉翁亭記〉

若夫日出而林霏開，雲歸而巖穴暝，晦明變化者，山間之朝暮也。野芳發而幽香，佳木秀而繁陰，風霜高潔，水清（一作「涸」，一作「落」）而石出者，山間之四時也。朝而往，暮而歸，四時之景不同，而樂亦無窮也。

【打開天窗說亮話】本指冬季水位下降，使石頭顯露出來。後比喻事情經過澄清或調查後，眞相大白。

【聞一知十頗類似】眞相大白、水清石見

【舉一反三相作對】沉冤不雪、石沉大海

22. 姍姍來遲

他明明叫奎發，應該說「發發來遲」吧？

最近幾天都下雨，不能練接力和棒球，幸好啦啦隊和揮棒練習還能在室內加強。而儘管雨勢代表著一朗陰暗的心情，但已比前幾天平靜多了。

畢琪寄了張玩具的素描給一朗，要一朗想念玩具時就拿出來看，但生活要快點回復正常才好。一朗十分感動。

舞菱和辛晴回憶起五年級時，畢琪在彩繪面具比賽上得了首獎，卻將作品送給了辛晴，然後又繪了一張給舞菱做紀念。她就是這樣窩心的好朋友。

「她媽媽好像病得很嚴重，目前幾乎都在醫院。畢琪說她一下課就得去醫院陪媽媽，暫時無法寫信給我們了。」

她們祈禱畢媽媽的身體能夠早日康復。

今早，奎發遲到了，過了朝會時間才羞赧的進教室，教數學的張老師笑說：「坐下吧。你還真是姍姍來遲啊。」

「老師，他明明叫奎發。」丙隆糾正。「應該說『發發來遲』吧。」

大家聽了爆笑出聲，老師解釋：「呵呵，『姍姍』不是人名啦，原意指女孩子走路緩慢的樣子，是來自漢武帝和李夫人的故事。」

「哇，老師不但數學好，國語也『啵兒棒』耶！」

「這很簡單啊。」

全部的人又笑，「很簡單」老師甩甩烏黑的秀髮，說：「那位把國家治理得很好的漢武帝曾經有位寵妃叫李夫人，不但長得漂亮，還能歌善舞，非常得武帝歡心。但沒幾年，李夫人就生病過世了，漢武帝非常思念，曾經寫文章悼念她。

有一個研究法術的方士說他可以召喚李夫人的靈魂來和武帝相見，武帝很高興，結果，那天晚上作法後，他真的看見很像李夫人的黑影出現在帷幕之中，一下坐、一下站的。但武帝被要求不能太靠近帷幕，使得他更加思念李夫人。後來武帝寫了一首詩請樂工譜曲、傳唱。詩歌的內容部分是這樣

的：是你嗎？我在這裡看著你，你爲什麼偏要來得這麼慢呢！

原文是『偏何姍姍其來遲』，『姍姍來遲』就從這裡演變而來。後來人們是形容女子緩步慢來的模樣，現在則多半在說人或事物不按時間出現，慢呑呑的，害人苦苦等候。所以，不要再誤會『姍姍』是女生的名字了。」

雖然張老師的數學課很靈活，她也一直強調數學「很簡單」，每個人還是都在心裡想：下課鐘聲啊，「偏何姍姍其來遲」，你爲什麼偏偏來得這麼慢呢！

週五下午好不容易放晴了，上完最後一堂畢業生系列活動「愛的叮嚀篇」後，就放學了。六愛同學繼續未完比賽的練習，但率領舞蹈社代表學校參加群組校際舞蹈比賽的舞菱，仍遲遲未歸。大家可著急了，因她得練大隊接力和啦啦隊。等她的時候，一朗陪著見博練跑馬拉松，幫他照著梅老師的方法，調節體力和呼吸。

舞菱終於回校了，一群人見她慢慢走來，又調侃她：「明天就要比接力了，你還眞是姍姍來遲啊。」

「是『菱菱』來遲，拜託。」奎發帶頭說，大家又捧腹笑成一堆，隨後

展開參與人數最多的十六棒次接力賽跑訓練。

週六，在北區比賽現場，六支複賽隊伍勢均力敵，大家都對爭奪分區冠軍感到信心滿滿。梅老師把短跑速度最快的奎發排在第一棒，中間棒次由慢一點的同學擔綱，然後是稍快的、再快的，最後是瞬間加速能力最強的一朗。這樣的排序與操練的團體默契，使他們當時贏得了初賽，今天也拔得頭籌，向第二場的區冠軍賽挺進。

就在第二場賽事鳴槍起跑後，六愛的中段棒次一直落在四隊裡的第三名，到了倒數第二棒強棒丙隆時，全班都殷切的盼望他能扭轉乾坤。但出乎意料之外，丙隆在接棒時居然掉棒了！他慌亂的拾起棒子後，竟又跌倒！等到爬起再火速緊追前面的選手時，已是望塵莫及。而棒子一交到一朗手上，一朗便拔腿狂奔，這時大家都祈禱他能提升尾勁，從最後一名迎頭趕上。最後，雖經一朗力挽狂瀾，他們還是獲得區冠軍賽的第三名。

看著丙隆從操場中間慢慢向終點走來，梅老師跟大家說：「沒關係，至少還有第三名。別責怪同學哦。」

丙隆洩氣的走近隊友們，奎發立即一語雙關的說：「你還眞是姍姍來遲

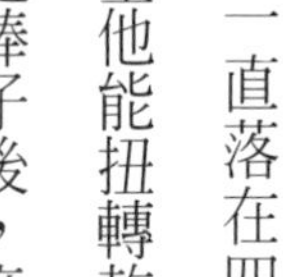

啊！」

「是『隆隆來遲！』」一朗糾正。全部的人又大笑。一朗拍拍丙隆的肩膀，問他：「跌倒了有沒有受傷？」丙隆搖頭，辛晴便緊接著提議：「那我們去吃『冰炫風』慶功吧！」

大家拍手贊同，只有舞菱邊尖叫著：「啊，熱量！你要害我跳不起來嗎？」卻邊挽著辛晴的胳臂，開心笑著，走著。

姍姍來遲

【解鈴還須繫鈴人】《漢書・卷九七・外戚傳上・孝武李夫人》

及夫人卒，上以后禮葬焉。其後，上以夫人兄李廣利爲貳師將軍，封海西侯，延年爲協律都尉。上思念李夫人不已，方士齊人少翁言能致其神。乃夜張燈燭，設帷帳，陳酒肉，而令上居他帳，遙望見好女如李夫人之

貌，還幄坐而步。又不得就視，上愈益相思悲感，爲作詩曰：「是邪？非邪？立而望之，偏何姍姍其來遲！」令樂府諸音家絃歌之。

【打開天窗說亮話】本形容女子緩步遲來的模樣，後亦用於人不依時間出現，譏諷人的遲到。

【聞一知十頗類似】慢條斯理、悠然晚來、蝸行牛步

【舉一反三相作對】健步如飛、捷足先登

23. 望穿秋水

為什麼是「秋水」？冬天的不行嗎？

母親節那天中午，辛媽媽請女兒邀一朗、一飛、舞菱、奎發到家裡吃飯，也叫上辛皓，連同辛雨共九人，吃喝聊天，好不熱鬧。

一朗一直抱著透透。他其實很感謝辛家對他們的好，尤其玩具的喪葬手續、費用等，都是辛爸爸出面處理的。同學也都體貼關心他，使他覺得是應該快點從悲傷中走出來，不要讓愛他的人失望才好。

回家前，大家還提起上星期學校爲畢業生進行的西餐禮儀教學，在實際演練時，發生不少糗事；舞菱還直抓著辛皓問問題，那流露出的感情，昭然若揭。

「簡直是神魂顛倒、意亂情迷加精神恍惚了！」奎發回憶昨天，啐了一

聲，便收起溜溜球，轉頭問讀著英文的大鳴：「你們一起練啦啦隊，都沒進展嗎？」

這是隔天的六愛教室，下課時間，一朗玩著魔術方塊，邊起鬨：「不是有近水樓臺的機會了嗎？」

「你們在……在說什麼啊？」大鳴結巴起來。「我是爲了六愛而戰的。」

「還說咧，我看見你盯了她一眼。」奎發坐下，托起腮幫子。「那個眼神就像我爸看他的新女友一樣，就算沒見面也巴望得不得了。」

「望穿秋水。」見博寫著評量，突然出聲。「這叫『望穿秋水』。」

「爲什麼叫『秋水』？」一朗問。「一眼就看穿秋天的水嗎？冬天的不行嗎？」

「不知道，等一下問老師吧。但是我先跟你們講，這禮拜三下午那半天，我眞的得去補習了，不能練跑，我媽在唸我了。」

幾個人點點頭。沒辦法，有時還是要顧及大家已經排定的行程和學習計劃。老師也一再講過，不要勉強同學，希望練習和出賽的時間是經過每個人自主性的調整、妥善安排出來的，而能配合到今天這樣的地步，已十分難得

了。

「『望穿秋水』？」稍後，黃老師回答見博提出的問題。「『秋水』就是眼睛，指眼睛像秋天明澈的水一樣。其實這是出自元代王實甫所作的雜劇《西廂記》。望穿秋水那段內容，描寫了婢女紅娘替小姐崔鶯鶯送信給張君瑞，張君瑞既喜又憂，喜的是鶯鶯小姐約他深夜會面，但憂慮不知該怎麼翻牆越過大門深鎖的後花園。於是紅娘鼓勵張君瑞不要害怕，應該勇於冒險，以免鶯鶯小姐望穿了清澈明亮的眼睛，而緊皺眉頭也會有損她美麗的容顏。

原文就用『秋水』兩字來代替眼睛，算『借代』的修辭技巧；而『望穿眼睛』又是誇飾的方法，表示殷切盼望。後來大家便用『望穿秋水』來形容非常深切的盼望，也可以說『望眼欲穿』。至於崔鶯鶯與張君瑞的戀愛故事，最後當然是完美的結局啦。」

「老師，那我們常聽到的『一日三秋』呢？」奎發問。

「差不多，講的也是極度的思念和企盼。《詩經》裡『一日不見，如三秋兮。』就是描述男子思念情人的詩。是說雖然只和你分別了一天，卻像過了三個秋天一樣，就是很久的意思，表示對那個人十分思念，朝思暮想

的。」

「那『一日三秋』又是誇飾法嘍？愛情怎麼都這麼誇張啊。」奎發發起了牢騷。

「呵呵，你講到重點了。」老師微笑。「但只有當你在愛情裡的時候，才能知道誇不誇張，到時再告訴我們了。」

在一陣「啊喲」聲中，似玲舉手。老師頷首示意她發言，心裡卻害怕她又說出什麼令人驚嚇的話；而全班除了一個人之外，也都在期待她的「南施高見」。

「老師，那我覺得鳴公子也是『望穿秋水』的期盼我，就像我對他『望眼欲穿』一樣。我也要鼓勵他不要害怕，應該勇於冒險。」

果然……。全班又是哄堂大笑，大鳴則已經趴在桌上歎氣了。奎發和丙隆，更是笑得如誇飾法般，極度誇張。

望穿秋水

【解鈴還須繫鈴人】元・王實甫《西廂記・第三本・第二折》

隔牆花又低，迎風戶半拴，偷香手段今番按。怕牆高怎把龍門跳，嫌花密難將仙桂攀。放心去，休辭憚。你若不去呵，望穿他盈盈秋水，蹙損他淡淡春山。

【打開天窗說亮話】形容極殷切的盼望。

【聞一知十頗類似】望眼欲穿、引領而望

【舉一反三相作對】不屑一顧

24. 才高八斗

不管對手是幾斗，我都對你們有信心！

見博、辛晴、大鳴和另外兩位同學討論著週日的作文比賽，奎發、舞菱和一朗也在一旁。奎發等著「攔截」大鳴練棒球，舞菱則準備「搶劫」大鳴去練啦啦隊，而一朗是想抓見博跑步，可謂各有各的目的。

「好，方向我們大致掌握了。」辛晴下了結論。「但還要練習默契，這樣的話，等題目一公布，我們才能在最短時間內研討出該寫的內容和段落分配。大家沒事要多讀課外書籍哦，盡量讓自己滿腹經綸就對了，寫作時才好聯想與應用。」

奎發和一朗對看，有感而發：「哇，看你們這幾個人說的話，突然覺得我四肢發達，頭腦簡單。」

「拜託，我們眞有你想的那麼厲害就好了。」另兩位同學走後，辛晴笑著說。「這次的強敵還有我堂哥耶，他的文章都是登在校刊上的，小學就拿過好多寫作獎，才眞的是才高八斗呢！」

「見博也是啊。」一朗忙拉信心票。「他是……才高『九』斗！」

大夥兒都笑了。辛晴說：「嗯，順便練習一下。『才高八斗』，出自謝靈運說的話，他是東晉、南朝宋之間的文學家，曾經把全天下的文才總合當做一石，就是十斗那麼多啦。謝靈運認爲，三國時曹操的兒子曹子建一個人就佔了文才十斗中的八斗，謝靈運自己得一斗，而天下其他文人加起來共得一斗。所以，表面上他推崇曹植的『八斗之才』，實際是諷刺世上所有人的才學加起來，還不如他一人呢。後來，大家就用『才高八斗』來比喻某人的才學很高。」

「他口氣這麼大，所有人加起來還比不上他一人！」一朗語氣酸酸的。

「對啊。他是很有才學，但因恃才傲物，得罪了某些當權的奸人，所以經過幾次貶官後，中年時就被殺害了，還活不到五十歲呢。」辛晴表示可惜。

大鳴轉頭對一朗說：「你剛剛說見博才高『九』斗，你的口氣比較大哦。」

一朗傻傻笑著。「我對他有信心啊。我對你們都有信心，不管對手是幾斗，你們都不會比他差的。」

「而且是比五個人的合作耶，又不是只比一個人。」舞菱難得拋開一下辛皓。

見博聽了後，振臂一呼：「好，星期天的作文比賽我們志在必得，希望能夠文思泉湧、行雲流水。」

「嗯，文思泉湧、行雲流水！」幾個人伸出手疊在一起，同時喊了聲體育活動才會有的精神口號：「光芒六愛！Go!Go!Go!」

「明天就比棒球了，可以讓他先跟我們練吧？」奎發拉著大鳴，對舞菱說：「啦啦隊比賽還有一星期，但明天棒球就先比了，我們如果贏兩場，六月就可以搶全區冠軍。這次我們班大隊接力只得到全區第六，所以棒球一定要拿第一。」

舞菱嘟嘟嘴，辛晴想了想，提議：「就先以棒球爲要吧，大鳴要練投，

一朗也是球隊一員，還有小舞，你也得練打擊和守備。下週我們全力支援啦啦隊。而見博就繞著操場慢慢跑，我陪你跑，邊唸一些文章給你聽，反正我只剩作文比賽了。這樣一來，就感覺大家都在一起練習了！」

全部的人都點頭，一朗還消遣見博：「喲，有美女陪跑耶，我看他再也不需要我了。」見博哈哈乾笑著，他只怕等一下自己的腳打結。

「嗚公子。」南施似玲忽然神不知鬼不覺的出現。「我們該練舞了，你要教我那個跳躍動作……」

舞菱趕緊搭著似玲的肩，說：「來，小南，你和隊員就在操場旁邊練，但要注意球，然後邊替我們加油。哦，不，是替嗚公子加油。」

才高八斗

【解鈴還須繫鈴人】宋・無名氏《釋常談・卷中・八斗之才》

文章多，謂之八斗之才。謝靈運嘗曰：「天下才有一石，曹子建獨占八斗，我得一斗，天下共分一斗。」

【打開天窗說亮話】比喻人的才學極高。

【聞一知十頗類似】飽學之士、滿腹經綸、學富五車

【舉一反三相作對】才疏學淺、不學無術、胸無點墨

25. 杯弓蛇影

不要自己嚇自己，看到紅色拖把頭，就想到啦啦隊彩球！

似玲做了「愛的鳴公子&光芒六愛都加油！」的旗子，和啦啦隊員一起現身比賽現場，全身鮮艷的運動服和五色旗一樣，醒目得令人振奮。

大鳴主投稍早那場對豪傑國中的比賽，快慢速變化球耍得對手團團轉，最終贏得了生涯第二場勝投，似玲還熱情的對他灑起花瓣呢。

奎發碰上的則是實力超強的信班，他卻能用指叉球讓打者頻揮空棒，硬是把慶築的單調直球比了下去，可惜隊友打擊不連貫，一直到最後一局兩人出局後，比分還是○：○。

隨後，梅老師叮囑了幾句，一朗站上打擊區，心想：「玩具，讓我聽你叫兩聲吧！」

彷彿聽見熟悉的「汪汪」聲，他選了一個偏高直球奮力揮擊——

「耶！再見全壘打！」全場熱舞、嘶喊聲喧天，慶築洩氣的跪在投手丘上，遲遲無法站起來。

一朗跑壘時，又將一個飛吻送上天空，回本壘時和死黨奎發跳起慶賀戰舞，然後接受同學幾近瘋狂的拋擲與喝采。

「可以去花蓮了！」星期四，黃老師向全班宣布。「六月七日換我們移師到東部比全區的總冠軍，而且應該是對山上國小。多虧大家努力，才有這個機會，繼續加油哦！」

一張張無邪的天眞笑顏綻放著，開心笑鬧著，老師覺得，眞是好看！

「但現在要先煩惱這週的馬拉松和啦啦隊。」見博冷靜的說。「我做了惡夢，夢到自己跑最後一名，連地上爬的嬰兒都比我快；而且昨天看到課文『小馬拉車』，我嚇一跳，以爲看到了『小馬拉松』。」

丙隆也搶著說：「我看到家裡的紅色拖把頭就想到彩球咧！信班的啦啦隊每次練習都偷偷摸摸的，我想一定是動作很炫，不讓別人先看。只要想到這裡，我就擔心我們會很慘！」

「這些項目是很多人從未接觸過的，大家當做磨練就好，不要杯弓蛇影的，自己嚇自己。」老師笑道。

「『杯弓蛇影』？」丙隆搔搔頭。「好像聽過。」

「呵呵，以前啊，有個叫杜宣的小官，有一天接受縣令的邀請，到他家裡喝酒。」老師在黑板上畫圖，說起故事來了。

老師接著往下說：「那時懸掛在牆壁上的弓正好折射，投映在酒杯裡，杜宣看了，以爲酒杯裡有一條蛇，立刻冷汗直流；但縣令是他的頂頭上司，他不敢不喝，所以勉強喝了幾口，肚子卻馬上感到極度不舒服。回到家裡，杜宣隨時都覺得那條蛇在腹中蠕動，令他食慾不振，身體漸漸瘦弱，請大夫醫治也不見起色。後來縣令來探視他，問他怎會病成這樣，杜宣便講了那天飲酒時發現杯中有蛇的事。

縣令回官府後，反覆思考，一回頭便看見牆上的弓，這才發現杜宣所說的蛇，其實是弓在酒杯裡的投影，不仔細看，還眞像條蛇呢。於是縣令立即命人用馬車將杜宣接來，讓他坐在當時的位置上，同時向他證明酒杯中的蛇只是牆上的弓影，大可放心。而說也奇怪，疑慮全消後，杜宣的病竟然就不

藥而癒了。」

大家聽著，都哈哈大笑，丙隆還最大聲呢。

老師也笑著說：「這個故事後來演變成『杯弓蛇影』的成語，用來比喻爲不存在的事情受驚嚇，或對事物來源不清楚就疑神疑鬼的，白白恐懼，是庸人自擾啊。」

丙隆停住笑，思考了一下。「所以我看到信班他們偷偷練，就以爲他們很厲害，眞是『杯弓蛇影』。」

「對啊。」一朗接著說：「搞不好是太糟糕了，在練好之前不敢給人看哪！」

全班都被逗笑了，奎發還跟一朗擊掌。

老師微笑說：「所以那些恐懼多半是心理作用，自己嚇自己。但也表示你們認眞投入，才會影響到潛意識，以致聯想過多或夜有所夢。反正，壓力不要太大呀！」

緊接著，老師揭曉上週日經評審批閱後的作文比賽成績，六愛拿到第二名，有十八分高分；而第一名果然是豪傑國中。

大家都為六愛的作文團隊鼓掌，覺得他們已是人中龍鳳、不可多得了。

杯弓蛇影

【解鈴還須繫鈴人】漢．應劭《風俗通義．卷九．世間多有見怪驚怖以自傷者》

予之祖父郴，為汲令，以夏至日詣見主簿杜宣，賜酒，時北壁上有懸赤弩，照於杯，形如蛇，宣畏惡之，然不敢不飲，其日，便得胸腹痛切，妨損飲食，大用羸露，攻治萬端，不為愈。後郴因事過至宣家，闚視，問其變故，云：「畏此蛇，蛇入腹中。」郴還聽事，思惟良久，顧見懸弩，必是也。則使門下史將鈴下侍徐扶輦載宣，於故處設酒，盃中故復有蛇，因謂宣：「此壁上弩影耳，非有他怪。」宣遂解，甚夷懌，由是瘳平，官至尚

書，歷四郡，有威名焉。

【打開天窗說亮話】比喻因疑神疑鬼而隨時擔驚受怕。

【聞一知十頗類似】風聲鶴唳、疑神疑鬼、草木皆兵

【舉一反三相作對】處之泰然、泰然自若

我最驕傲的光芒

26. 精誠所至，金石為開

不管是馬拉松還是啦啦隊，只要努力練習，一定「筋骨全開」！

馬拉松比賽分別在各區舉行，以每人跑完六公里的時間總計名次與積分。選手每班各三位，愛班包括了見博和奎發，但奎發因爲跑得快，又兼棒球和大隊接力組長，所以沒怎麼練習。反觀體育不太行、但有耐力的見博，怕壞了團體成績，很早前便開始準備運動計畫表了，從走到跑，慢慢拉長距離、提升運動心跳。

啦啦隊員也是，練習、磨合了一個半月，終於到達驗收成果的日子了。在週六的比賽中，十個人使出渾身解數，揮著汗，帶著開心的笑顏展現力與美，獲得了如雷掌聲；而男生們的動作，也爲現場增加許多趣味和驚豔！

週日的馬拉松比賽，信班的陳慶築和豪傑國中的辛皓都參加了，鳴槍起

跑後的八分鐘裡，見博一直都是墊底的，還在一個折返處被反向而來的慶築嘲笑「苟延殘喘」。但他對前面的身影視若無睹，對周遭的聲音置若罔聞，只以自己的呼吸頻率、速度和節奏，專心邁著步伐。漸漸的，他開始可以超越一些人了，然後再一些，更多一些……

即將抵達終點的加速和衝刺是很重要的，不管前方有多少人、汗水是否流乾，他謹記梅老師的叮嚀——

「我做到了！」到達時，他在心裡吶喊，邊撫著痠痛的雙腿，汗仍水流一般淌下，心卻滿足而踏實。

一直歡呼加油的同學圍上來關心，然後全體陪伴三名選手走完一圈操場、作作緩和操，興高采烈的聊了好一會兒，才帶著青春的汗水與笑靨回家。

「老師看得好感動！」隔天上課時，黃老師都快流下眼淚了。「謝謝舞菱帶領的編導和練習，啦啦隊表現得太精采了！還有馬拉松選手，也辛苦了！」

全班報以熱烈掌聲，丙隆、一朗起立謝票，見博笑著，還在按摩自己的

腳。

「你們以前想像得到嗎？大嗚、一朗和丙隆跳舞耶！而文狀元見博還挑戰耗費體力的馬拉松！他們都吃足了苦頭，但都做得那麼好，眞是『精誠所至，金石爲開』。」

「對啊，老師。」一朗起立說：「小博士平常跑得超慢的，但因爲苦練，居然迎頭趕上，還跑贏『李維拉』耶，連陳慶築最後都被他遠遠甩在後面。」

奎發做出揮淚的樣子，大家又咯咯笑起來。他接著還喊：「誠心感動天啊，小博士竟然還贏辛皓三十秒。」

「對，他就是集中了所有誠心和力氣。」老師笑容可掬道。「西漢時，有一位著名將領叫李廣，非常善於騎馬射箭，作戰也有謀略及勇氣，被匈奴人稱爲『飛將軍』。

有一次，他到山裡打獵，在天色逐漸昏暗時，忽然發現草叢中蹲著一隻老虎，似乎準備撲上來。李廣大吃一驚，急忙拉滿弓，全神貫注的瞄準猛虎要害，然後誠心全意的用盡平生氣力，一箭射去。見老虎沒有動靜後，他才

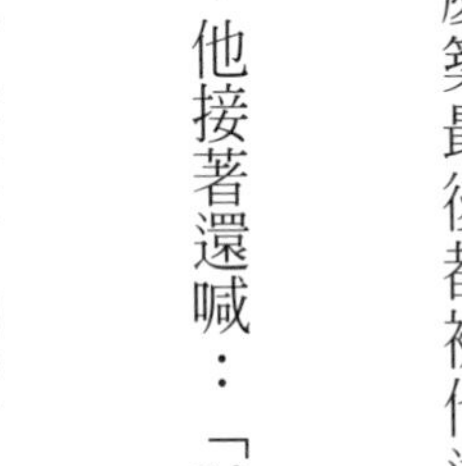

小心翼翼上前察看，也才發現，原來在草叢中的不是猛虎，他射中的是一塊形狀很像老虎的大石頭啊。

再仔細一看，箭頭深深射入石中，緊得拔都拔不出來。他驚訝萬分，不相信自己有這麼大力氣。於是再試一次，但沒有成功。隨後又多射了好幾箭，箭頭裂了、箭桿斷了，大石頭卻依然絲毫無傷。

這件射箭穿石的事傳開以後，把匈奴嚇得都遷走了。而人們除了感到驚奇外，也有疑惑，便去請教大學者揚雄。揚雄就回答說：『至誠則金石爲開。』只要眞心誠意，即使硬如金石也會被感動而開裂的。這故事流傳到後來，演變成成語『精誠所至，金石爲開』。意思就是只要有誠心、有恆心，任何困難都可以突破。」

「對耶，小博士眞的是『精誠所至，金石爲開』。」一朗眉開眼笑。

「你們都是。許多人都累壞了，一支啦啦隊舞、一段路跑公里數等，這些看似簡單的名詞下，需要付出多少時間和體力啊！各位同學眞的讓我很敬佩！」

「還好啦，老師。後來我覺得筋骨全開，全身都滿舒服的。」丙隆舒展

一下腰部。「咦？搞不好我以後會去『雲門舞集』跳舞。」

全班哈哈大笑的同時，似玲又舉手，說：「我覺得，將來鳴公子可以和我組『天鵝湖雙人舞蹈團』，一定是票房長紅。」

是……臉色常綠吧！一片爆笑聲中，一朗站了起來，鼓舞似玲：「小南，加油！『精誠所至，金石爲開』哦！」

大鳴又趴倒在桌上，他已經啼笑皆非了。

精誠所致，金石為開

【解鈴還須繫鈴人】

1. 《史記・李廣列傳》：至誠則金石爲開。
2. 「精誠所至」：《莊子・漁父》
眞者，精誠之至也，不精不誠，不能動人。
3. 「金石爲開」：漢・劉向《新序・卷四・雜事四》
熊渠子見其誠心而金石爲開，況人心乎？

【打開天窗說亮話】比喻一個人行事誠懇，持續有恆，必能成功滿意。或用以勉勵。

【聞一知十頗類似】滴水穿石、鐵杵磨針、精衛填海

【舉一反三相作對】半途而廢、守株待兔、好逸惡勞

27. 爾虞我詐

意思是說，你也欺騙我嘍？

「榔頭，今天學校還要做資源回收耶，你怎麼到現在才在寫功課呀？」一早，辛晴插著腰說。「這樣怎麼當一飛的榜樣啊？」

儘管馬拉松團體得到全區第五名，啦啦隊第三名，大家還是對最後一項棒球總決賽寄予厚望。尤其下週就是六月份了，週四要先考期末考，而這學期的期末考就是畢業考。緊接著，週六，全班參加人數次多的棒球總決賽就上場了，所以可以練習的機會已經不多。

「只剩一點了。昨晚留了一些想說睡個覺再寫，結果就……哈哈哈！」

「朗哥，快好了吧？」奎發輕輕拋球，他的手上隨時都拿著棒球。「那我先去盯女生揮棒好了，冠軍賽耶。」

奎發走後，大鳴看著振筆疾書的一朗，似乎發現了什麼，連忙回座翻找出一樣東西，然後拿到一朗面前，攤開給剛寫完國語作業、正鬆口氣的他看。那是一張紙條：「辛皓！我向你挑戰！我一定會在比賽時打得你落花流水！使她崇拜我！任何人都不是我的對手！走著瞧！」

「哈，這……尷尬了……」一朗支支吾吾，只好望向臉色也有些許驚慌的辛晴。

「我早就該想到是你了，看這個全部都是驚歎號的文法，還有龍飛鳳舞的筆跡。我一直以爲是我堂哥慶築寫的，哦，這麼說……」大鳴恍然大悟的看向辛晴。「你們串通騙我？那舞菱也……」

辛晴鎮定了下來，搬出當初已準備好的說辭：「大鳴，這是榔頭寫的沒錯，他後來告訴我了。因爲我太崇拜辛皓堂哥了，他看不過去，所以下了這張戰帖啦。」

「是嗎？」大鳴懷疑的交互瞪看兩人。「搞什麼，爾虞我詐的。」

一朗聽了，牛頭不對馬嘴問道：「你怎麼會運用這種成語啊？人家會以爲我們不是同一班的耶。」

「哈哈，這次準備作文比賽，我看了不少書啊。」大鳴竟得意起來。

「那故事是怎樣啦？」一朗手插胸前，認爲如果不先弄懂這四個字的意思，顯然太吃虧了。

「就春秋的時候啊，楚國率領大軍攻打宋國，把他們的都城團團圍住。這樣僵持了幾個月，楚國遲遲無法拿下宋國，但宋國城內也快斷糧了，而且聽說楚國還想建屋來個長期駐兵，這可把宋國嚇壞了。因此，宋國派了大夫華元議和，請楚王退兵。華元表示，現在宋人已經到了交換孩子來吃、拿死者人骨當柴燒飯的地步了，儘管如此，還是寧願戰死。但倘若楚國能夠立刻退兵三十里，宋國也會對楚國釋出善意，從此聽從、歸附楚國也說不定。

楚國這邊也害怕逼急了人反而使他們鬥志無窮，只好簽訂了講和盟約，並以華元爲人質，盟約中明白寫道：『我無爾詐，爾無我虞。』即：我不欺騙你，你也不要對我猜忌，雙方須以誠信相待。這是倒裝句，其實就是『我無詐爾，爾無虞我』，後來演變出反意『爾虞我詐』這個成語，形容人與人之間彼此勾心鬥角，互相猜疑、詐騙。」

「嗯，我懂了。」一朗點點頭。「爾虞我詐。那意思是說，你也欺騙我

嘍？」

「這……我哪有？」大鳴反駁。

「沒有嗎？那告訴我，你為什麼拿走我的紙條？那是我下給辛皓的戰書，而且請辛晴轉交給辛皓，為什麼會在你那裡呢？你留著的作用又是什麼？」

大鳴突然結舌，心想，總不能告訴他們，那是他那次看完後偷偷留下來的，好警惕、提醒自己要努力。

「我們都懂。這叫什麼？心照不宣？」一朗起身搭上他的肩，邊帶著他往操場移動，邊在背後對辛晴比出「勝利」手勢。「一切都是誤會啦，但這是多美麗的誤會啊。你看你因此讀了那麼多書，還會跳啦啦隊舞、打棒球和拔河耶。你曾經想過自己有這樣的潛力嗎？以前你是一個書呆公子哥兒呢。所以收穫超多的，不是嗎？現在，告訴我，你覺得應該跟我說什麼？」

大鳴想了想，鈍鈍的回答：「『謝謝』嗎？」

「嗯，不客氣。」一朗直接就說。「能跟你一起作戰，也算是我這輩子的榮幸。所以我也謝謝你。那我們……就開始努力練球吧！」

大鳴總覺得哪裡怪怪的，但「沒關係」老師已在等著指導他的投球動作了，於是不再多想，專心投入了集訓。

爾虞我詐

【解鈴還須繫鈴人】《左傳・宣公十五年》

夏，五月，楚師將去宋，申犀稽首於王之馬前，曰：「毋畏知死而不敢廢王命，王弃言焉。」王不能答。申叔時僕，曰：「築室反耕者，宋必聽命。」從之。宋人懼，使華元夜入楚師，登子反之床，起之，曰：「寡君使元以病告，曰：『敝邑易子而食，析骸以爨。雖然，城下之盟，有以國斃，不能從也。去我三十里，唯命是聽。』」子反懼，與之盟，而告王。退三十里，宋及楚平，華元爲質，盟曰：「我無爾詐，爾無我虞。」

【打開天窗說亮話】形容人際間毫無誠意、各懷鬼胎，互相玩弄欺騙的手段。

【聞一知十頗類似】各懷鬼胎、明爭暗鬥、勾心鬥角

【舉一反三相作對】推心置腹、同心協力、肝膽相照

28. 鴻鵠之志

我以後如果像王建民一樣，會幫大家簽很多名的！

「陳涉是第一位起兵反抗暴秦的志士。他年輕時是替人耕田的，有一天休息時，他望著廣闊的田地發誓，將來若有富貴的一天，絕不能忘記現在的困苦。這時一旁的夥伴笑他：『我們這種耕田的僱農，會有什麼榮華富貴？』陳涉不禁嘆息：『燕雀安知鴻鵠之志哉！』就是說，燕雀一般的鳥，怎麼能懂鴻鵠這類大鳥的志向呢？鴻鵠，就是大雁或天鵝，鴻鵠要南飛避寒時，能夠一飛千里。所以『鴻鵠之志』就是比喻人有像鴻鵠一舉千里的遠大志向。」

遊覽車即將抵達花蓮市時，黃老師對著一車興奮出遊的學生說話。

「記得在畢業考前的畢業生升學座談會中，你們就談到自己的志向，對

自己有著很多期許，記得要努力去實踐哦。而大家參加『十能少年獎』大賽，其實也是『鴻鵠之志』，你們就像鴻鵠一樣有一舉千里的遠大志向，眞的很好。那麼，現在，就下車去好好享受比賽吧！」

一行人浩浩蕩蕩、熱熱鬧鬧的下了車。除了棒球賽基本的十人外，連替補選手共有十五人，加上加油團，幾乎全班都出動了。還有不少隨團或自行開車前來的家長親友，陣勢可謂十分浩大。

舞菱和似玲兩位情竇初開的少女，一路暈陶陶的，因爲辛皓也隨辛爸爸開車前來爲他們加油呢。

「什麼？山上不能打了？」黃老師突然驚呼，三十五人就這麼杵在花蓮中學提供的休息教室裡。「可能要直接裁定光芒贏球？」

梅老師喘著氣解釋：「山上國小的人數和用具一直不足，比較多人參加的比賽都很勉強才湊齊，連棒球用具都是向大學借的。而今天的球賽就算他們不使用替補選手，也少一個人，因爲有人受傷還在住院，沒辦法過來，其他同年級的學生也因離花蓮市太遠或別的原因，無法出賽。唉，不然你們先等著，我再去問問看！」

「怎麼會這樣……」同學們突然感到失落，並無獲冠之喜。奎發看著一室的人，歎氣道：「我們隨便給他們五個人都還有剩。」

一朗敲了他。「當然是要『山上』國小的嘛！隨便找槍手啊？」家長和同學也都嘰嘰喳喳討論起來。辛皓接著說：「他們眞可憐，一直在『湊』人數，根本不能『選』選手。」

黃老師也歎：「但他們表現好優秀！積分都不錯，可見非常認眞、非常看重比賽。」

「喂——可以比了！」梅老師和辛爸爸一起衝了進來。「山上總算找到一位同學，在最後一刻趕到了！」瞬間，大家又有了笑顏，再度活絡起來。梅老師立刻要求各就各位，準備熱身和上場了。

比賽開始，由光芒隊先攻，雙方就打擊和守備位置後，瞬間，眾人都看到山上隊的左外野站了一個女生，看起來就像……

「是畢琪！」在加油區的辛晴指著她喊，隨即和驚訝的大家面面相覷，不明白應該在高雄的她何以現身於此。

「小晴！小舞！」攻守轉換時，畢琪蹦蹦跳跳的來到光芒區和久違的好

友擁抱。一朗等人還差點忘了要上場守備。

原來，畢琪的媽媽病得不輕，醫生明令須到安靜的山上靜養。於是畢爸爸聯絡了畢琪的外婆後，便快速辦好一切手續、整理所有行李，帶了妻女離開高雄，住到岳母花蓮山上的家，並帶了女兒到新學校，就又火速趕回外派地了。

「我昨天才第一天上學，今天就糊里糊塗被抓來打棒球了。」畢琪邊說，還拉來一個男生。「他就是我遠房表弟，讀山上五年級。他一直說如果我不來，他們六年級的學長班就沒得比了。之後還騎了好幾十公里的腳踏車載我來。到了之後，我才知道要跟你們爭冠軍。好奇妙的重逢啊！」

大夥兒都覺得的確非常奇妙！而久別重逢寒暄後，焦點轉回到賽場上。山上的球員都有好身手，連女生都不錯，當然，除了畢琪。

這場比賽，光芒由大鳴、奎發採投手車輪戰，大鳴接連被敲安打，還好攻勢幾次都斷在畢琪手上，所以失分不算多，第三局便由奎發中繼上場了。畢琪本就不會打球，也沒經過特訓，所以除了頻被三振外，守備還發生三次失誤，也造成掉分，但大家都叫她別放在心上。

第六局，最後一局，此時比數四：二，山上只要守住光芒在這局的進攻，就不須打六局下而可贏得比賽了。兩出局後，一人在壘，這時一朗站上打擊區，相中一個沒有完全下墜的大曲球，使勁揮擊——

一個飛球往畢琪的外野天空飛去……

「畢琪——快跑——」喊出聲的竟是加油區的辛晴！

而更不可思議的，光芒隊全員居然都揮甩著手臂，齊聲喊：「畢琪！快跑——」畢琪甩著辮子努力往全壘打牆方向奔跑，連一朗跑壘到二壘附近時，都停下來對她大吼：「看著球——不要躲——」

畢琪十分害怕，但眼睛沒有閉上，千鈞一髮之際，她伸長了手臂——

全場歡聲雷動！

「她接到了！畢琪接到了！耶！」光芒的同學和山上球員幾乎同時歡呼起來，黃老師和梅老師也興奮振臂，使得許多人都搞不懂到底是哪一隊贏得了比賽。

「我做到了！」還倒在地上的畢琪對跑過來的一朗說。「這次我沒有躲球了！」

一朗高舉雙手做泰山呼吼狀，光芒的同學一擁而上，大家又叫又跳，又哭又笑，還聯手將畢琪舉了起來。

但，頃刻，一朗的笑容不見了，他動也不動呆站著，逕望著球場邊……

鴻鵠之志

【解鈴還須繫鈴人】

1.《史記．陳涉世家》：陳涉少時，嘗與人傭耕，輟耕之壟上，悵恨久之，曰：「苟富貴無相忘。」傭者笑而應曰：「若為傭耕，何富貴也？」陳涉太息曰：「燕雀安知鴻鵠之志哉！」

2.《呂氏春秋．士容論》

齊有善相狗者，其鄰假以買取鼠之狗，期年乃得之，曰：「是良狗也。」其鄰畜之數年而不取鼠，以告相者，相者曰：「此良狗也。其志在獐麋豕鹿，不在鼠；欲其

取鼠也，則桎之。」其鄰桎其後足，狗乃取鼠。夫驥驁之氣，鴻鵠之志，有諭乎人心者誠也。人亦然。誠有之則神應乎人矣，言豈足以諭之哉？此謂不言之言也。

【打開天窗說亮話】 比喻人有遠大志向。

【聞一知十頗類似】 志在千里、雄心壯志、壯志凌雲

【舉一反三相作對】 胸無大志、目光如豆

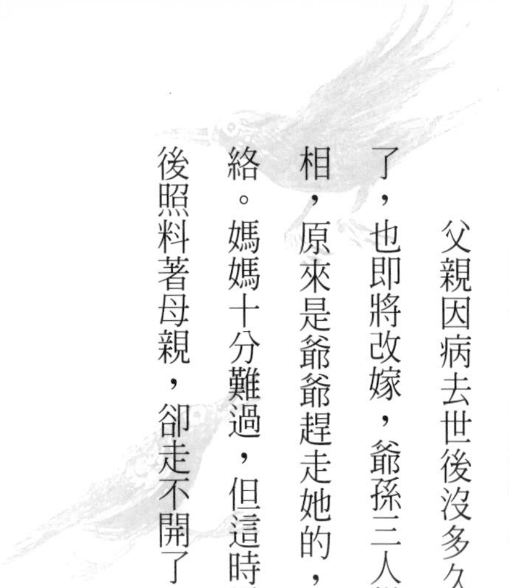

29. 破鏡重圓

昨天的棒球賽如同那半面鏡，我們和畢琪重逢，一朗和媽媽團圓。

一朗動也不動，望著球場邊樟樹下的一個人……

「怎麼了？一朗？」辛晴推推他。「一飛爲什麼站在那個人身邊？她是……」

「她是……我媽媽。」

父親因病去世後沒多久，有一天一朗回家，爺爺告訴他們，媽媽離開了，也即將改嫁，爺孫三人從此相依爲命生活著。誰知，這次聽媽媽講了眞相，原來是爺爺趕走她的，爺爺罵了很多難聽的話，並且不准她和孩子聯絡。媽媽十分難過，但這時馬來西亞家裡的母親病危，於是她先趕回去，之後照料著母親，卻走不開了。她曾打電話和寫信到臺北，都被爺爺攔截。

過了四年，她的母親過世，她便想回臺北了。本來很恨爺爺，但轉念一想，平時待她不錯的爺爺會不會有什麼苦衷？於是回臺後找了他逼問清楚。果然，原來爺爺是不想讓她年紀輕輕就把青春葬送在這個家，才會絕情的趕走她。

「我不能平靜的等你回來，馬上就帶一飛來找你了！」一朗的母親盈著淚說。「媽媽再也不會離開一朗和一飛，再也不會了！」

母子相擁而泣，一朗將四年來的思親之苦與失去玩具的痛，一股腦兒哭了出來。圍觀的同學與大人們，紛紛流下感動的淚水……

「破鏡重圓。」隔天上課，黃老師仍感動莫名。「雖然『破鏡重圓』是形容愛情的，但用在這裡也無不可呀，一朗，恭喜你哦。」

一朗揩揩不小心溢出的淚，邊說：「嗯，謝謝老師。那，典故是什麼？」

全部的人都愣了一下，稍後才笑出來，大家似乎都習慣老師說成語故事了。

「好。」老師清清喉嚨。「古代南朝梁有位徐德言，在戰亂時和妻子即將分散，他便打破一面銅鏡，夫妻各拿半面，並約定每年元宵節就把破鏡拿

到京城街上賣，以做爲相逢的信物。後來，他的妻子流落到楊素家裡，楊素非常寵愛她。而流離失所的徐德言，好不容易終於到了京城，便在正月十五這天上街尋找，果然看見一個僕人模樣的老人要高價出售一片半面鏡。

徐德言對老人說了自己的經歷，還拿出自己的半面鏡和他手上的相合，之後在鏡上題了一首詩：『鏡與人俱去，鏡歸人不歸。無復嫦娥影，空留明月輝。』他的妻子看了題詩後，非常難過，哭哭啼啼的不吃不喝；楊素問她原因，最後便將她還給了徐德言，並送上財物幫助他們。之後夫婦倆回到江南，白頭偕老。這個愛情故事後來衍生了成語『破鏡重圓』，用來比喻夫妻離散或感情決裂後，再度團圓、和好。

「哇，好像昨天哦。」見博張大眼說。「那場棒球賽就如同半面鏡，我們因此和畢琪重逢；而一朗也在比賽場地，和失去聯絡的媽媽團圓。」

「雙喜臨門！」奎發突然喊。「雖然我們棒球沒有拿第一。」

大家呵呵笑，看不出一絲沮喪。一朗站起來，調皮的說：「『沒關係』，這個問題『很簡單』，因爲我們都有『用用腦』啊。」

全班捧腹大笑，老師隨後說：「你們眞的很棒。儘管比賽沒有所向皆

捷，但有助人的心，也集思廣益、盡了全力，那就完美，也做到承諾了。」

「啊？老師，你是說我們眞的拿到首獎了？」丙隆非常興奮。

「想知道？好，現在宣布，我們班得到了……」老師逡巡著每一雙純眞善良的瞳眸，說：「第五名！」全班歎氣的「啊」了一聲，原本跳著的一朗和奎發，瞬間也癱坐下來。

「老師覺得很棒了呀。拔河第一，籃球和作文第二，其餘都在中上，只有壁報是第十九名。」

「哦，畢琪——」奎發故意哭喊：「你離開得眞不是時候啊！」一朗則著急的搥手掌，說：「那怎麼辦？幫不到山上國小了。這下糗大了，糗大了！」

老師看著手中的公文，逕唸道：「第五名，臺北光芒國小六年愛班；第四名，金門金海國小；季軍，臺北豪傑國中；亞軍，臺中文武國小；冠軍——」她望望底下的屏氣凝神，唸出：「花蓮山上國小！」

「耶！」又是一個歡聲雷動，大家或呼喊、或擊掌，彷彿競逐到首獎一般；如果手上有樂器，那麼此刻定是鑼鼓喧天了。

「他們有四項第一、三項第二，最差的是作文，第十四名。好，我們都替山上感到高興，畢竟他們也是克服了萬難，最後以自己的力量贏得勝利。天助自助者啊。回顧近三個月來，你們眞的很辛苦，也表現得讓老師刮目相看，所以我說你們做到了承諾，的確應該爲自己感到高興和驕傲的。各位同學，盡其在我之後，我們要學習的就是：成功不必在我。」

「成功不必在我」，大家同時咀嚼這六個字。是啊，目標還是達成了，山上國小有二十萬可以添購設備了呀，那麼，的確是成功不必在我……

老師又說：「你們是光芒，耀眼的三十道光芒！」

「我是光芒！」一朗和奎發齊聲喊，接著全班也吶喊出聲：「我們是光芒！」

破鏡重圓

【解鈴還須繫鈴人】

唐．孟棨《本事詩．情感》

陳太子舍人徐德言之妻，後主叔寶之妹，封樂昌公主，才色冠絕。時陳政方亂，德言知不相保，謂其妻曰：「以君之才容，國亡必入權豪之家，斯永絕矣。儻情緣未斷，猶冀相見，宜有以信之。」乃破一鏡，人執其半，約曰：「他日必以正月望日賣於都市，我當在，即以是日訪之。」及陳亡，其妻果入越公楊素之家，寵嬖殊厚。德言流離辛苦，僅能至京，遂以正月望日訪於都市。有蒼頭賣半鏡者，大高其價，人皆笑之。德言直引至其居，設食，具言其故，出半鏡以合之，仍題詩曰：「鏡與人俱去，鏡歸人不歸。無復嫦娥影，空留明月輝。」陳氏得詩，涕泣不食。素知之，愴然改容，即召德言，還其妻，仍厚遺之。聞者無不感歎。仍與德言陳

氏偕飲，令陳氏為詩，曰：「今日何遷次，新官對舊官。笑啼俱不敢，方驗作人難。」遂與德言歸江南，竟以終老。

【打開天窗說亮話】比喻夫妻離散或決裂後，再次團圓或重修舊好。

【聞一知十頗類似】破鏡重合、離而復合、言歸于好

【舉一反三相作對】覆水難收、勞燕分飛、分道揚鑣

30. 始終不渝

我們的友誼，自始至終都不會改變……

再過四天，就要舉行畢業典禮了。全體同學無不卯足勁留下彼此的倩影、文字、圖畫、聲音，只要是未來可茲記憶的痕跡，都不肯放過。

知道信班拿到十能獎的第十名後，整整有一星期沒看見慶築和又豪的身影了。這堂是班會，黃老師請同學把握時間，說說心裡話。

辛晴站了起來，感性的說：「這些年，因為有大家，尤其是參加十能競賽近三個月以來，讓我明白，生命可以這麼豐富！我永遠不會忘記這段童年歲月。」

「不愧是寫作高手。」奎發輕拋著棒球說。「我要說，謝謝你們讓我感覺像打了一場完全比賽！我以後如果像王建民一樣，一定會幫大家簽很多名

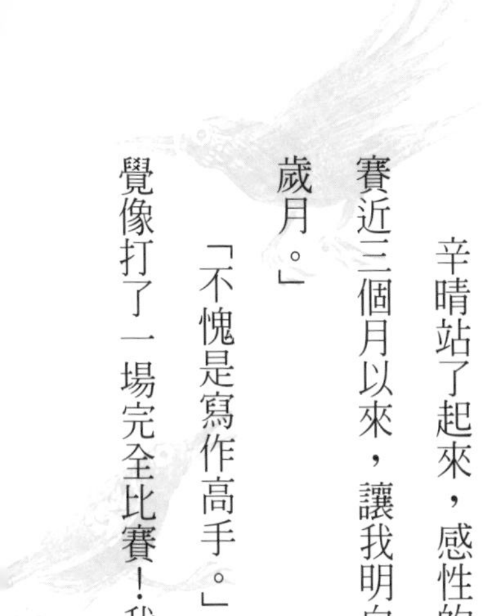

的。」全班都笑，丙隆還嘲弄：「你會有那麼厲害啊？」不料奎發竟回他：「燕雀安知鴻鵠之志！」這下連老師也笑得摀起嘴了。

大鳴自動說話了。「我……要謝謝大家讓我有改變的機會。尤其是一朗，用了孔明『借東風』的計策，讓我發現生活不是只有讀書和補習而已，還有很多好玩的事，連我媽媽都喜歡我的改變。」

「我們也很喜歡啊，你變得這麼合群，每個人都高興。」一朗說，隨即吞吞吐吐起來：「呃……謝謝大家照顧我、安慰我。」

見博接著提出看法：「一朗除了原來的幽默率直外，其實也變得成熟、沉穩了呢。我呢，只想說謝謝。而且，我的『金蘭簿』有寫大家的名字哦，莫逆之交，我愛六六愛！」

掌聲響起，盡是認同。接著，舞菱舉手。「雖然我害怕熱量，但現在更怕日子一天天走過，就快和大家分別了。」

全班心疼的表情還留在臉上，似玲卻緊接著說：「我的小學生涯本來可以很平凡的，好討厭，你們竟然讓它變得這麼精采，我是個多喜歡平凡的人啊。」

許多人狂笑不止，又拍起桌、跺起地來了。其他同學陸續發表後，老師在黑板上寫了「始終不渝」四個字。

「你們的友誼，始終不渝。這故事來自謝安，他是東晉宰相，也是王羲之的好朋友，還是那位詠絮才女謝道韞的叔叔。他非常有才幹，但生性喜歡音樂、詩文、大自然，所以寧願隱居東山，也不願意再當官；直到四十多歲，才被勸服而重新爲國效力。

有個『東山再起』的成語就是這樣來的。謝安在當了大官、極有作爲之後，仍一心嚮往著隱士生活，曾說『東山之志，始末不渝』就是現在我們說的『始終不渝』，自始至終都不會改變。可以用在對志向或人事物的堅定不移。」

同學正想發問時，發現校長來了，身邊還有一些人和一位女士。校長向迎來的老師講了會兒話，老師頷首，便對全班說：「各位同學，這位是『十能少年獎』的創辦人兼理事長——張耘音女士！她有話跟大家說，歡迎張理事長！」

大家用力拍手，整個教室也騷動了起來。理事長和藹笑著，說：

「我曾經也像你們一樣年輕啊，呵呵。你們這個年紀，該是青春而充滿活力的，也該是擁有智慧與合群行動力的，所以，我創辦了『十能少年獎』，在這裡，沒有個人英雄，只有團體合作。而我也認爲，小孩子就是要動動身體、動動腦，這樣才好玩嘛。來，告訴張奶奶，好不好玩呢？」

大家同聲回答「好玩」。

理事長笑著繼續說：「這段日子，參賽學生無不全力以赴爭取佳績，經過激烈的競技後，比賽圓滿落幕了。謝謝大家！我已經到四個學校去頒發冠軍至殿軍的獎座和獎金了，但我來第五名的光芒六愛做什麼呢？當然……也是頒獎嘍！」

全班立刻驚喜萬分，興奮得樂不可支。

「我聽說你們的故事了，還有在賽事上的表現。張奶奶很感動，決定頒發『運動家精神特別獎』給你們，因爲你們代表了十能少年眞正的精神：『愛、團結、努力』，獎勵是：在即將發行的《十能少年創刊號》中報導這則故事，並把你們加入『十能少年獎』的創辦精神裡，永久流傳！」

辛晴在全班歡欣鼓舞的氣氛中代表領獎，理事長隨即拿出一封信，只說

受遠方人所託付，便向大家道再見。

在歡送她離去之後，老師請辛晴將內容朗讀出來：

親愛的光芒六愛朋友們：

我們終於知道這件事，也總算明白那天你們何以對畢琪突破自我而歡呼不已！你們的感情如此濃烈，性格如此良善，還有不斷努力的心，在在都值得我們學習。幸好，我們也從未因挫折而半途而廢，才對得起你們當初的看重與厚愛。

非常感謝光芒的朋友們，山水有相逢，期待在未來的人生道路上，我們可以再相遇，並互相切磋砥礪！敬祝

鵬程萬里

山上國小六年級全體同學敬上

「好會寫哦。」一朗很感動。「這像作文第十四名的班級寫的嗎？」

辛晴胸有成竹的說：「你的直覺很棒！我想這應該是請畢琪操刀的。」

「啊哦，畢琪！」奎發又來了。「你走得眞不是時候啊……」

就這樣，在不斷的笑聲與難捨的淚水中，離別的日子還是來臨了。黃老師望著這些已然成長，即將告別童年的孩子們，心裡想的，盡是滿滿的驕傲。

畢業典禮那天上午，先進行珍重惜別會，畢業生繞校園一圈，接受在校生揮手送別。辛雨蹦蹦跳跳的，一飛還故意很誇張的痛哭。

辛晴、一朗幾個人依依不捨，畢竟這段日子以來，他們已有了極爲深厚的革命情感。而稍後在惜別會會場，他們竟看見意外嘉賓：畢琪！畢琪開心的介紹山上音樂小組，以及載他們來的舅舅。

山上改編了在「十能獎」中拿到第二名的演奏曲，是由直笛、口琴、鋼琴和畢琪的小提琴合奏的輕快樂曲，十足山林聽鳥聽泉的愜意生活，令大家陶醉。而演奏中途，直笛手才感性的報出曲名：《獻給光芒的愛》，更是讓六愛同學，當場灑淚。

傍晚的畢業典禮，畢業證書與各獎項紛紛頒發之後，行過謝師禮，六年級的授課教師便站到禮堂門口，夾道歡送這些曾朝夕相處的學子。

六愛的同學一一和黃老師擁抱，隨後，看著手上老師所贈製作精緻的書籤，又哭了……

莫逆之交，
同舟共濟；
天涯比鄰，
始終不渝。
再見了，
我最驕傲的光芒……

辛晴、舞菱、一朗、奎發、見博、大鳴幾位步出禮堂後，紛紛回頭望著老師，內心百感交集。

而在夜色中，他們承諾，不管時光和環境如何阻隔，彼此都不要斷了聯繫，都要互相關心和扶持。

一朗突地伸出手，掌朝下，高聲說：「天涯比鄰！」
大夥兒微笑，將手兒一一疊上，齊聲大喊：「始終不渝！」

始終不渝

【解鈴還須繫鈴人】1.《晉書・謝安傳》

安雖受朝寄，然東山之志，始末不渝。

2.《晉書・陸曄傳》

恪勤貞固，始終不渝。

【打開天窗說亮話】自始至終都不會改變，指意志的堅定不移。

【聞一知十頗類似】始終如一、堅定不移

【舉一反三相作對】見異思遷、三心二意、朝秦暮楚

附錄

【超級好朋友】

莫逆之交：心意相投、不會背叛的朋友。用以表達「友情深厚」。

愛屋及烏：由於喜愛某個人而連帶愛護停在他屋上的烏鴉。比喻非常喜愛一個人，於是連帶也喜愛與他有關的人或物。

從善如流：比喻樂於接受他人好的意見、善意的勸導。

閉月羞花：形容女子容貌十分姣好、絕美。

【在同一條船上】

拋磚引玉：自己先發表不很好的詩文或觀點，以引出他人佳作或高論，現多用做自謙之詞。

運籌帷幄：比喻事前的籌謀與策劃。

同舟共濟：同坐一條船渡河，比喻互助團結，共同想辦法解決困難、度過難關。

罄竹難書：比喻罪狀之多，難以寫盡。

口若懸河：形容人說話滔滔不絕，能言善辯、很會說話。

萬事俱備，只欠東風：比喻辦一件事時，一切都準備妥當了，就缺最後一個關鍵條件。亦可當憑借、利用大好的形勢來行事。

餘音繞梁：形容歌聲或音樂的美妙餘音迴繞於屋梁間與耳邊，久久不散。或可用來形容人的話語意味深長。

如火如荼：形容人事物的陣容浩大，氣勢旺盛。

懸梁刺股：形容刻苦讀書、勤奮向學。

【永遠是朋友】

近水樓臺：形容因人事、環境或職務上的便利，容易優先得到機會或利益。

天涯比鄰：形容知己間縱然相距遙遠，只要情誼堅定，也如近鄰一般，不感孤單。

塞翁失馬：比喻因禍得福，或禍福常相互轉，不要以一時狀況論定。

千里鵝毛：比喻從遠方來的禮物，雖然只是小東西，情意卻很深厚。

勢如破竹：比喻工作或戰鬥順利進行，節節勝利，毫無阻礙。

節哀順變：弔唁、慰問之詞，意爲抑制悲痛，順應所發生的變故，接受事實。

百步穿楊：比喻射箭技巧精準高超，並可引申體育或活動競賽時本領高強。

水落石出：本指冬季水位下降，使石頭顯露出來。後比喻事情經過澄清或調查後，眞相大白。

姍姍來遲：本形容女子緩步遲來的模樣，後亦用於人不依時間出現，譏諷人的遲到。

望穿秋水：形容極殷切的盼望。

才高八斗：比喻人的才學極高。

杯弓蛇影：比喻因疑神疑鬼而隨時擔驚受怕。

【我最驕傲的光芒】

精誠所至，金石為開：比喻一個人行事誠懇，持續有恆，必能成功滿意。或用以勉勵。

爾虞我詐：形容人際間毫無誠意，各懷鬼胎，互相玩弄欺騙的手段。

鴻鵠之志：比喻人有遠大志向。

破鏡重圓：比喻夫妻離散或決裂後，再次團圓或重修舊好。

始終不渝：自始至終都不會改變，指意志的堅定不移。

■系列規格：尺寸／17 x 22cm　頁數／220頁　定價／單冊定價280元

我家有個風火輪

——封神演義．哪吒的故事

策劃．撰寫／張曼娟
圖／周瑞萍（Rae）

★新聞局中小學生優良課外讀物推介

★「好書大家讀」年度最佳少年兒童讀物獎

★榮登誠品書店、博客來網路書店暢銷書排行榜

真正重要的事，根本不需要提起，因為從沒有忘記

改寫自《封神演義．哪吒》。陳塘關守將李靖育有三兒一女，不服管教生性狂蕩的小兒子哪吒，為他惹了許多麻煩。弄到後來父子反目成仇，甚至性命相搏。哪吒的姊姊花蕊兒是全新創造的角色，身形非常小巧，但她充滿「愛」，也最懂得「愛」，成為扭轉大局的關鍵人物。小朋友常常對自己的身高感到焦慮，透過這個故事，張曼娟希望傳達：「長得高不高不要緊，身體只是一個罐子，罐子裡面的東西才重要。」

火裡來，水裡去

——唐傳奇．杜子春的故事

策劃．撰寫／張曼娟、高岱君
圖／蘇子文

★新聞局中小學生優良課外讀物推介

★入圍金鼎獎兒童及少年圖書類最佳美術編輯獎

★榮登誠品書店、博客來網路書店暢銷書排行榜

只有愛，無法忘記

本書改寫自《唐傳奇．杜子春》。這是個測試意志力與恐懼的故事。杜子春為了報答多次濟助自己的老人，答應為他煉丹，過程中經歷各式各樣的試煉，唯獨親情這個關卡無法度過。張曼娟認為「父母對孩子的愛，是不可思議的，我們只得順從這強烈的情感。」

花開了

——鏡花緣．唐小山的故事

策劃．撰寫／張曼娟、孫梓評
圖／潘昀珈

★「好書大家讀」入選

★新聞局中小學生優良課外讀物推介

★誠品書店年度TOP100暢銷書

給孩子最好的愛，就是去了解他真正要的是什麼

本書改寫自《鏡花緣》。故事改以孩子的角度出發，讓秀才唐敖的兒子及女兒來訴說這個充滿豐富想像力的冒險故事。女兒唐小山允文允武，兒子唐大海溫柔體貼。他們都不是符合一般世俗標準的孩子，但是張曼娟如是說：「每個孩子都有他的使命，我們不該執迷於自己的期望，我們該做的是歡喜成全，讓他們長成健全快樂的成年人。」

看我七十二變

——西遊記．孫悟空的故事

策劃．撰寫／張曼娟、張維中
圖／王書曼

★「好書大家讀」入選

★新聞局中小學生優良課外讀物推介

★誠品書店年度TOP100暢銷書

當我們同在一起，每一步都有力量

本書改寫自《西遊記》。純真善良的唐三藏表面上是取經團領導者，卻是最需要被保護的人。而武功高強的孫悟空心甘情願保護師父去取經，是因為他上一世是唐三藏的哥哥，不但誤解了弟弟，還害弟弟為了救自己而犧牲生命。張曼娟為這個故事下了一個註解：「誰為兄？誰是弟？都不重要，重要的是，在前往西方的道路上，只要我們同在一起，每跨出一步，都充滿力量。」

奇幻小說再推薦

晴空小侍郎

文／哲也
圖／唐唐
定價／269元
適讀年齡／9-12歲

★「好書大家讀」年度最佳少年兒童讀物獎

★新聞局中小學生優良課外讀物推介

★台北市兒童深耕閱讀選書

★誠品書店年度TOP100暢銷書

在歷史課本從來沒被翻開過的那一頁，記載著一個叫做「晴朝」的朝代。這個朝代的鬼特別多，多到讓朝廷成立一個「鬼部」來管理。某個下大雨的夜裡，有位小男孩為了救妹妹來到「鬼部」，卻莫名其妙變成鬼部尚書的副手，男孩漸漸認識這些鬼怪，發現他們其實並不壞。然而，可怕的陰謀正在暗處進行著……。

【張曼娟奇幻學堂】

重讀經典，找回中文的奇幻與魔力

張曼娟創作緣起

把故事還給孩子

當我們還沒看過哈利波特；還不認識神隱少女；還不知道魔戒的威力的時候，孩子們都聽什麼故事呢？

我念小學的姪兒，總是催著我問新一集的《哈利波特》出來沒有？我告訴他，得等一等，還要翻譯啊。他於是抗議了：

「奇幻故事這麼好看，我們為什麼沒有中文的書？都要看外國人的？」

這質問讓我一時之間，無法作答。

我很想告訴他，我們在許多許多年前，古時候就有很多好看的奇幻故事了，只是，你們都不熟悉，都不了解。但是，他們為什麼不熟悉？不了解呢？這些奇幻故事，是我們的祖先留給孩子的瑰寶，我們曾經是保管人，保管並且享用，然後，應該交給我們的孩子。然而，這些豐富有趣的故事，自我們之後，彷彿便已失傳。我們顯然剝奪了孩子的繼承權，令他們失去了寶藏的，難道竟是我們嗎？

我感到了急迫與焦慮，感到一切都要來不及。

作為一個創作出版超過二十年的作家，我知道，要消解這樣的不安，唯有寫作。要把奇幻與魔力找回來，才能完好無缺的交付給我們的孩子。「張曼娟奇幻學堂」的童書工程，就是這麼開始的。

策劃、撰寫——張曼娟

東吳大學中文博士，於大學任教二十年，教授古典文學與現代文藝，理論與創作兼修。自出版首部小說集《海水正藍》起，成為二十年來的華文暢銷女作家，她的著作等身，不斷嘗試與創新。2005年夏天，創辦「張曼娟小學堂」，帶領孩子讀詩、讀經與寫作，獲得熱烈回響。致力文學教育向下紮根，成為她現階段最想完成的理想。

系列特色

1. 暢銷作家、東吳大學中文系教授張曼娟第一套針對兒童及青少年改寫編選的作品。
2. 從人物角度切入，重寫中國經典文學，賦予現代感的詮釋與面貌。
3. 「好看」的中文經典故事。邀請入選義大利波隆那書展插畫家繪圖，風格具現代感。
4. 每書均附「曼娟老師會客室」、「曼娟老師的私房教案」、「曼娟老師導讀CD」，是教學與親子活動的最佳參考。
5. 適讀年齡9～15歲。

專家學者推薦

陽明大學神經科學實驗室教授　**洪　蘭**
知名作家、東吳大學中文系教授　**張曼娟**
前台東大學兒童文學研究所所長　**張子樟**
國立歷史博物館館長　**黃永川**

系列規格：
尺寸／17 x 22cm　頁數／144頁
定價／單冊定價250元

《秦朝有個歪鼻子將軍》

謝平安與愛佳芬被兵馬俑特展上的模型拉回秦朝的兵馬俑製造工廠。陳勝王的軍隊，埋伏在秦皇陵外；駐守皇陵的歪鼻子將軍，帶著奴隸迎戰。大戰開打，陳勝王的軍隊攻進工廠，愛佳芬和謝平安也被農民軍追殺。

《騎著駱駝逛大唐》

到日月潭的玄奘寺校外教學時，愛佳芬和謝平安回到了唐朝的玉門關。玉門關的和尚帶著他們去「取經一日遊」，還在沙漠裡碰上風暴，遇見唐朝詩人岑參……，但是他們總不能一直留在過去不回來。這次，謝平安和愛佳芬能不能找到那把未來與過去之間的「鑰匙」，回到現代？

《跟著媽祖遊明朝》

可能小學的小朋友，要跟著大甲媽祖去遶境。大家先去參觀鎮瀾宮，愛佳芬的平安符碰到廟裡的浮雕，浮雕動了，愛佳芬和謝平安竟然回到了明朝，遇見鄭和下西洋回來的盛景，還被兇惡的白臉太監緊緊追捕……

《搖啊搖，搖到清朝橋》

這天，戶外教學的地點是山谷下茶園裡的茶藝館。茶藝館裡有各種新奇的東西，牆壁上還掛了一幅好大的畫。愛佳芬東摸摸、西碰碰，突然間地動風吹，牆上的畫發出一道強烈的光芒，她和謝平安又回到古代了！這次，他們回到清朝，遇到鄭板橋，還遇到南巡的乾隆皇帝……。

歡迎到天下雜誌網路書店測試自己歷史知識的HQ！
www.cwbook.com.tw/reader/2008/history

可能小學的歷史任務

有一所什麼都可能發生的「可能小學」，他們的社會課得要回到千年前的歷史現場，體驗超時空冒險，多好玩！不過，如果你找不到「鑰匙」，可就再也回不來了……。

跟著愛佳芬、謝平安闖蕩中土，穿梭時空
回到秦朝的兵馬俑工廠，看中國文字大勢底定的起源
回到唐朝的絲路，跟著玄奘西遊取經，才知道唐詩不只「三百首」
回到明朝鄭和下西洋的寶船工廠，看「麒麟」、體驗中國國際化的盛世
回到清朝揚州城旁的京杭大運河，小心，別被乾隆皇帝蓋了印章喔！

系列特色

1. 暢銷兒童書作家、得獎常勝軍、資深國小教師王文華，最新知識性冒險故事力作。融合超時空冒險故事的刺激、校園生活故事的幽默，與探索中國文化的歷史知識，讓大小讀者輕鬆學習、快樂閱讀。

2. **「超時空便利貼」**：你知道什麼是秦朝最時尚的顏色嗎？你知道古代人用什麼做「橡皮擦」？符合當代兒童閱讀的「視窗」概念，隨時補充有趣的歷史小知識，讓大小讀者體會古代中國人的「生活小樂趣」。

3. **「會客室」單元**：秦始皇真的是大壞人嗎？媽祖是在台灣出生的嗎？唐三藏就是玄奘嗎？針對中國歷史上的各種誤傳、迷思、或小道消息，「絕對可能會客室」把當朝主角請到現場，一一說清楚、講明白。

4. **專研秦、唐、明、清四朝的歷史學家審訂**：邀請台灣大學歷史系助理教授閻鴻中與研究生游逸飛、玄奘大學歷史系教授高明士、台灣師範大學歷史系教授林麗月、清水高中老師楊露萍，及中央研究院歷史語言研究所副研究員陳熙遠，專業審訂推薦。

5. 國小中高年級～國中適讀，與九年一貫社會課程相呼應。

閱讀123 企劃緣起　讓孩子輕巧跨越閱讀障礙

在台灣，推動兒童閱讀的歷程中，一直少了一塊介於「圖畫書」與「文字書」之間的「橋梁書」，好讓孩子能循序漸進的「學會閱讀」。

天下雜誌童書出版，二〇〇七年起推出橋梁書【閱讀123】系列，專為剛剛跨入文字閱讀的小讀者設計，邀請兒童文學界優秀作繪者共同創作。用字遣詞以該年段應熟悉的兩千個單字為主，加以趣味的情節，豐富可愛的插圖，讓孩子有意願開始「獨立閱讀」。從五千字一本的短篇故事開始，孩子很快能感受到自己「讀完一本書」的成就感。

本系列結合童書的文學性和進階閱讀的功能性，培養孩子的閱讀興趣、打好學習的基礎。讓父母和老師得以更有系統的引領孩子進入文字桃花源，快樂學閱讀！

閱讀123 進階讀本

1.故事情節較複雜，類型涵括奇幻、寓言、推理等
2.一萬~二萬字的中篇故事
3.平裝讀本，附注音及彩色插圖
4.中高年級適讀

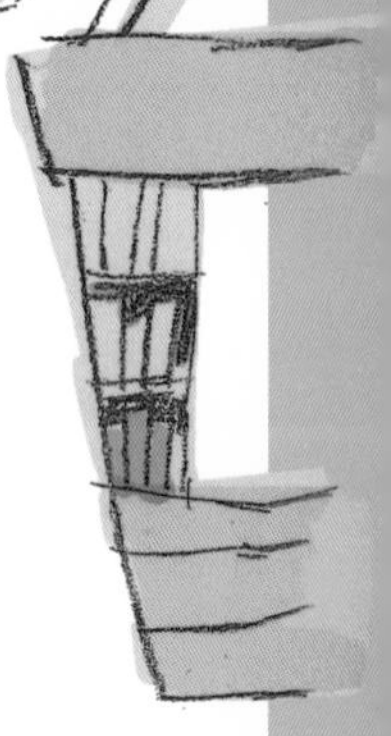

非客尋的祕密
★台北縣滿天星閱讀計畫推薦書

找不到國小
★台北縣滿天星閱讀計畫推薦書
★台東大學兒童文學研究所教授林文寶專文推薦

床母娘的寶貝
★台東大學兒童文學研究所教授林文寶專文推薦

小恐怖
★台北縣滿天星閱讀計畫推薦書

湖邊故事
★好書大家讀年度最佳少年兒童讀物獎
★新聞局中小學生優良課外讀物推介
★台北縣滿天星閱讀計畫推薦書
★北市圖最受小學生歡迎10大好書

閱讀123 知識讀本

1.融合故事與知識的新型態讀本
2.具有專業背景的科普作家和人氣插畫家共同合作
3.創造與孩子共同探索世界的可愛角色
4.好玩的延伸活動或知識附錄
5.平裝讀本，附注音及彩色插圖或照片
6.中低年級適讀

象什麼
★誠品書店選書
★中國時報開卷專文推薦
★台北市立動物園研究員兼發言人金仕謙審訂、推薦

天下第一龍
★中國時報開卷專文推薦
★前台灣博物館研究員、古生物學家賴景陽審訂推薦
★榮登誠品書店暢銷排行榜

蟲來沒看過
★資深自然觀察家、生態作家邱承宗審訂、推薦
★榮登誠品書店暢銷排行榜

歡迎到天下網路書店童書館免費下載實用好玩的延伸活動和學習單！ www.cwbook.com.tw/reader/2008/read123

閱讀123，
輕鬆閱讀零負擔

為孩子搭起圖畫書與文字書的橋梁，兼具「好看」及「易讀」的特質，
打造孩子「文字閱讀」的無障礙空間

林良、林文寶、林文韵、柯華葳、張子樟、陳木城 聯合推薦 （依姓名筆畫排序）

閱讀123 系列特色

1.為符合中低、中高年級的認字階段，使用文字參考各年段的認讀字單。
2.從五千字一本的短篇開始，延伸至上萬字的讀本，讓孩子循序漸進的體會「讀完一本書」的成就感。
3.故事類型多元：初級讀本以最貼近兒童的生活故事、幽默故事與童話為主；進階讀本則發展出寓言、推理與奇幻故事；知識讀本融合故事與知識，帶領孩子探索世界。
4.邀請兒童文學界優秀作繪者共同創作，結合童書的文學性和進階閱讀的功能性，輔以具現代感與創意的面貌，提升小讀者閱讀的欲望，打好學習的基礎。

閱讀123 初級讀本

1.以生活故事、幽默故事、童話故事為主
2.五千字的短篇故事，圖文比例趨近1：1
3.平裝讀本，附注音及彩色插圖
4.中低年級適讀

火龍家庭故事集
★好書大家讀年度最佳少年兒童讀物獎
★新聞局中小學生優良課外讀物推介
★台北縣滿天星閱讀計畫推薦書
★榮登誠品書店暢銷排行榜
★北市圖最受小學生歡迎10大好書
★中國時報開卷專文推薦

我家有個烏龜園
★好書大家讀年度最佳少年兒童讀物獎
★新聞局中小學生優良課外讀物推介
★台北縣滿天星閱讀計畫推薦書
★榮登誠品書店暢銷排行榜
★北市圖最受小學生歡迎10大好書
★中國時報開卷專文推薦

真假小珍珠
★新聞局中小學生優良課外讀物推介
★台北市兒童深耕閱讀選書
★台北縣滿天星閱讀計畫推薦書
★榮登誠品書店暢銷排行榜
★中國時報開卷專文推薦

小小哭霸王
★台北縣滿天星閱讀計畫推薦書

屁屁超人
★台北縣滿天星閱讀計畫推薦書
★榮登誠品書店暢銷排行榜
★中國時報開卷專文推薦

危險！請不要按我
★新聞局中小學生優良課外讀物推介
★台北縣滿天星閱讀計畫推薦書
★榮登誠品書店暢銷排行榜
★中國時報開卷專文推薦

企鵝熱氣球
★新聞局中小學生優良課外讀物推介
★台北縣滿天星閱讀計畫推薦書
★榮登誠品書店暢銷排行榜
★中國時報開卷專文推薦

換換書
★台北縣滿天星閱讀計畫推薦書

國家圖書館出版品預行編目資料

張曼娟成語學堂：我是光芒！/ 黃羿瓅撰寫；王書曼插圖 . -- 第一版 . -- 臺北市：天下雜誌，2008.10[民 97]
面； 公分 . --（張曼娟成語學堂）（小說；B003）

ISBN 978-986-6582-43-1（平裝）

859.6 97018296

小說 B003

張曼娟成語學堂

我是光芒！

策劃 / 張曼娟
撰寫 / 黃羿瓅
策劃協力 / 吳信樺
插圖 / 王書曼

責任編輯 / 吳毓珍
美術設計 / 張士勇工作室

發行人 / 殷允芃
童書出版總編輯 / 何琦瑜
法律顧問 / 台英國際商務法律事務所・羅明通律師
出版者 / 天下雜誌股份有限公司
地址 / 台北市104南京東路二段139號11樓
讀者服務 /（02）2662-0332
傳眞 /（02）2662-6048
劃撥帳號 / 01895001 天下雜誌股份有限公司
天下雜誌GROUP網址 / http://www.cw.com.tw
電腦排版 / 中原造像股份有限公司
印刷製版 / 中原造像股份有限公司
裝訂廠 / 政春實業有限公司
總經銷 / 大和圖書有限公司 電話 /（02）8990-2588
出版日期 / 2008年10月第一版第一次印行
2008年12月第一版第二次印行
定價 / 280元

書號：BCKNB003P
ISBN：978-986-6582-43-1（平裝）
天下雜誌網路書店：http://www.cwbook.com.tw
天下雜誌童書館及訂閱親子童書電子報，請上：
http://www.cwbook.com.tw/kids/

天下雜誌

觀 念 領 先